Claus Rolshausen · Rationalität und Herrschaft

Politische Ökonomie
Geschichte und Kritik

~~Herrn Pracher, 10. 1. 1977~~

Claus Rolshausen

Rationalität und Herrschaft

Zum Verhältnis von Marktsoziologie und Entscheidungslogik

Europäische Verlagsanstalt Frankfurt
Europa Verlag Wien

Frankfurt am Main
Druck: Tübinger Chronik
ISBN 3 434 30122 4 (kt)
ISBN 3 434 30123 2 (Ln)
Printed in Germany
D. 30

Inhalt

1.1 Das Paradigma rationalen Handelns (Einleitung)

Thomas S. Kuhn hat den Begriff des »Paradigmas« eingeführt, um den Fortschritt der Einzelwissenschaften und die Struktur wissenschaftlicher Revolutionen zu beschreiben. Er versteht darunter beispielhafte wissenschaftliche Leistungen in der Entwicklung einer Disziplin, die von einer Forschergemeinschaft als Grundlage ihrer weiteren Arbeit anerkannt werden. Diese Paradigmata müssen (erstens) beispielhaft genug sein, um eine Gruppe von Anhängern anzuziehen; sie müssen (zweitens) offen genug sein, um Lösungsstrategien für Probleme zu eröffnen. An dem Fortschritt der »normalen Wissenschaft« kann nur der erfolgreich teilnehmen, der die diese Fragestellungen leitenden Grundannahmen in einem wissenschaftlichen Sozialisationsprozeß aufgefaßt hat und die mit ihnen verbundenen Regeln anwendet; diese Regeln zeichnen die Relevanz von Fragestellungen, den Sinn von Methoden und Entscheidungskriterien vor; sie definieren ein bestimmtes Vorverständnis, das sich in der Lösung von Problemen bewährt und mit der Problemlösung erweitert. Erst durch die mit szientifischen Anomalien verbundene Unsicherheit, eine »wissenschaftliche Revolution«, wird diese Technik des Rätsellösens kritisch aufgelöst.[1]

Dieser Begriff des Paradigmas, wie ihn Kuhn aus einer wissenschaftstheoretischen Analyse der Naturwissenschaften gewinnt, kann auf die Sozialwissenschaften nicht bruchlos übertragen werden. Der Bestimmung bedeutsamer Tatsachen und Problemlösungen fehlt jene Eindeutigkeit, die den Naturwissenschaften eigentümlich ist. Soziologische Paradigmata dokumentieren vielmehr Versuche, mit einer auf historische Erfahrungen und »Erhebungen« gestützten Forschung »Annäherung« an die soziale

1 Vgl. Thomas S. Kuhn, Die Struktur wissenschaftlicher Revolutionen, Frankfurt 1967.

Wirklichkeit zu erreichen. Auf dieser Ebene einer Ablösung und Kritik von Paradigmata kann der Fortschritt der normalen Wissenschaft nicht kritisiert werden; dadurch aber, daß die soziologischen Paradigmata mit den »Alltagstheorien« und Situationsdeutungen außerhalb der Forschergemeinschaft vermittelt und auch in ihrer nomologischen Fassung auf ein historisch vermitteltes Situationsverständnis bezogen sind,[2] kann dieses Realitätsverständnis in der Dimension von Konservatismus und Kritik entfaltet werden: es ist folgenreich, ob sich die normalwissenschaftliche Entwicklung der Paradigmata auf die Explikation vorherrschender Normen und Situationsdeutungen beschränkt oder deren Widersprüche, die Wirksamkeit unterdrückter Motive und Aspirationen praktisch folgenreich analysiert. Paradigmata stellen die allgemeinsten Vorstellungen dar, die die Arbeit eines Forscherkollektivs leiten. Die »Regeln« der normalwissenschaftlichen Tradition, die sie begründen, sind gleichermaßen Prinzipien einer Berufspraxis, die im Zusammenhang mit praktisch wirksamen Situationsdeutungen und politischen Handlungsmöglichkeiten stehen. Noch die von Karl Popper vertretene Konzeption des Forscherkonsens, die an der deduktiven Logik als Organon der Kritik festhält, ist ein Beispiel für die These, das Paradigmata in den Sozialwissenschaften Annahmen über die Konstitutionsbedingungen einer sich entfaltenden gesellschaftlichen Totalität implizieren.
In seiner Kritik an den logischen Voraussetzungen historisch gerichteter Gesellschaftstheorien ignoriert Popper nicht den Problemzusammenhang, der sich in Mythen ebenso wie in wissenschaftlichen Traditionen herstellt. Gleichwohl besteht er gegenüber einer sozialwissenschaftlichen Analyse auf einem restriktiven Schema von Prüfungsbedingungen. Die Methoden der Sozialwissenschaften, die in seiner Perspektive von denen der Naturwissenschaften nicht unterschieden sind, bestehen in Lösungsversuchen für technische Probleme. Dieses Verfahren gewinnt Objektivität durch einen szientifischen Subjektivismus der freien Konkurrenz des Denkens, der jedoch auch im Verständnis von Popper an soziale Kategorien gebunden ist. Diese Konkurrenz

»... kann nur durch soziale Kategorien erklärt werden, wie zum Beispiel: Wettbewerb (sowohl der einzelnen Wissenschaftler wie auch

2 Vgl. Jürgen Habermas, Zur Logik der Sozialwissenschaften, Tübingen 1967.

der verschiedenen Schulen); Tradition (nämlich die kritische Tradition); soziale Institution (wie zum Beispiel Veröffentlichungen in verschiedenen konkurrierenden Journalen und durch verschiedene konkurrierende Verleger).«[3]

Dieses liberale Modell des Meinungstauschs bezeichnet Objektivität als soziale »Angelegenheit« der Wissenschaftler, ohne jedoch deren Implikationen zu entfalten. Es reflektiert weder die institutionellen Fesseln der Tradition noch die scheinbare Toleranz und die faktischen Sperren herrschaftsfreier Diskussionen. Popper sieht, daß Beobachtungssätze, die sich zur Falsifikation von Gesetzesannahmen eignen, nicht empirisch zwingend gerechtfertigt werden können; auch in seiner Perspektive müssen die an einem Forschungsprozeß Beteiligten zu einem revisionsfähigen Konsensus kommen. Die Falsifizierung hypothetischer Sätze läßt keine Aussage über die Relevanz der Probleme zu, auf die sie sich beziehen. Popper zieht jedoch nicht die Konsequenz, daß ein solches Kriterium nur reflexiv in der Dimension eines gesellschaftlichen Vorverständnisses bestimmbar ist, sondern sichert die Gewinnung von Tatsachen intersubjektiv im Medium von Konventionen. Die Definition der Prüfungsbedingungen, die die empirische Geltung von Aussagen festlegt, verabsolutiert die Methode gegenüber dem Inhalt: sie bindet die Objektivität der Wissenschaft an einen scheinbar zwanglosen Diskurs der Forscher und eine, wie Hans Albert hervorgehoben hat, nicht rationalisierbare »Entscheidung« über den Zweck wissenschaftlicher Theorien.[4]

»Diese Entscheidung ist ebenso wie die anderen Entscheidungen (z. B. über den Objektbereich), die die Grundlage einer Wissenschaft bilden, kein Erkenntnisproblem, keine Frage der ›Wahrheit‹, aber von ihr hängt es unter Umständen selbst ab, was wir unter ›Wahrheit‹ verstehen wollen. Die Festsetzung eines ›Wahrheitskriteriums‹ ist ebenso eine Frage der Willensentscheidung wie die Definition der Wissenschaft.«[5]

In diesem Wissenschaftsverständnis wird die Vermittlung technischen Wissens und praktischen Bewußtseins auf eine zweck-

3 Karl R. Popper, Die Logik der Sozialwissenschaften, in: Theodor W. Adorno (Hrsg.), Der Positivismusstreit in der deutschen Soziologie, Neuwied/Berlin 1969, S. 113.

4 Vgl. die Kritik bei Albrecht Wellmer, Methodologie als Erkenntnistheorie, Frankfurt 1967.

5 Hans Albert, Theorie und Prognose in den Sozialwissenschaften, in: Logik der Sozialwissenschaften, Köln-Berlin 1965, S. 126.

rationale Mittelwahl verkürzt. In dem nomologisch deduktiven Erklärungsmodell ist die *Erklärung* auf die Bestimmung von Ausgangsbedingungen, auf in singulären Tatsachenaussagen formulierte und bislang bewährte Gesetzesaussagen angewiesen. Wir kennen beispielsweise die Implikate des Begriffs »soziale Isolation« und wissen, wie er empirisch festgestellt werden kann; wir wollen erklären, warum die Selbstmordrate in der Stadt Z höher ist als in der Stadt U und können auf ein bestätigtes Gesetz c_1 zurückgreifen, das die Höhe der Selbstmordrate mit der sozialen Isolation in Beziehung setzt: dann können wir mit der Randbedingung R_1, daß in Z die soziale Isolation stärker ist, E logisch deduktiv erklären: G_1 und R_1 = E.[6]

Gesetzesaussage	G_1		
		Explanans	
Randbedingung	R_1		Erklärung
	E_1	Explanandum	

Bei Prognosen besteht der Unterschied nur darin, daß die Gesetze $G_1 \ldots G_n$ und die Randbedingungen $R_1 \ldots R_n$ gegeben sind; der ein noch nicht eingetretenes Ereignis beschreibende Satz kann dann mit logischer Notwendigkeit abgeleitet werden.[7]

Obwohl Popper für diesen Erklärungstypus eine prinzipielle Überlegenheit gegenüber Prophetien, un-bedingten Prognosen geltend macht, ist die deduktive Ableitung von Prognosen zwei Schwierigkeiten ausgesetzt:

1. Der Wahrheitswert kann nur von der Prämisse auf die Konklusion übertragen werden; ihre Gültigkeit besagt nichts über die Prämisse.

2. Die Gesetze besitzen nur einen hohen Bewährungsgrad. Wir können nicht ausschließen, daß sie in Zukunft nicht mehr gelten oder daß sich die Randbedingungen ändern.

Wir unternehmen mithin nichts anderes als eine Extrapolation vergangener Erfahrungen, die ihrerseits eine Meta-Hypothese

---

6 Vgl. Karl R. Popper, Logik der Forschung, Tübingen 1966; W. S. Stegmüller, Probleme und Resultate der Wissenschaftstheorie und analytischen Philosophie, Berlin–New York 1969. Beispiel nach R. D. Opp, Die Methodologie der Sozialwissenschaften, Hamburg 1970, S. 31.

7 Zur Diskussion dieser logisch-strukturellen Identität vgl. Israel Scheffler, The Anatomy of Inquiry, New York 1963. Ich vernachlässige hier das Problem, ob Erklärung und Prognose tatsächlich inverse Operationen sind.

über den möglichen Verlauf menschlicher Geschichte voraussetzt.[8]

Wir versichern uns des wissenschaftlichen Fortschritts in der indirekten Bestätigung nomologischer Gesetze, indem wir Hypothesen bis zu ihrer Falsifizierung akzeptieren. Wir sind jedoch gezwungen, bei der Ableitung nicht-konditionaler Prognosen einen unendlichen Regreß mit der Hilfe von ad hoc-Hypothesen abzubrechen. Denn die Prognose setzt voraus, daß Ausgangsbedingungen und Deduktionen zukünftig gleichermaßen gelten. Soweit sie aber Entscheidungsmöglichkeiten angeben, können sich die Ausgangsbedingungen ja auch auf alternativ planbare Situationen beziehen: das Vorliegen der Ausgangsbedingungen muß mithin selbst prognostiziert werden.

Aus dieser Verlegenheit resultieren begrenzte Strategien. Die Beschränkung auf konditionale oder aktionsabhängige Vorhersagen enthält Vorbehaltsklauseln, die die Anwendung von der Erfüllung bestimmter Bedingungen abhängig machen. Sie sind auf Hypothesen über das Vorliegen von Ausgangsbedingungen oder die Realisierung durch eigene Handlungen angewiesen.

Sie setzen entweder, wie in der naturwissenschaftlichen Experimentalsituation, die Manipulierbarkeit aller relevanten Faktoren und damit geschlossene Systeme voraus, oder sie nehmen, indem sie den Bruch zwischen systematischen Kategorien und einer sich entwickelnden gesellschaftlichen Totalität reflektieren, Momente einer Geschichtsphilosophie in praktischer Absicht auf: sie rechnen, mit anderen Worten, damit, daß mit dem praktischen »Herstellen« von Ausgangsbedingungen deren Eintreffen wahrscheinlicher wird und wissenschaftliche Abstraktionen damit in ihrer praktischen Anwendung selbst überprüft werden.[9] Damit

---

8 Vgl. Jürgen Wild, Probleme der theoretischen Diskussion von Prognosen, in: Zeitschrift f. d. ges. Staatswissenschaft 126, 4; vgl. K. R. Popper, Das Elend des Historizismus, Tübingen 1965; ders.: Die offene Gesellschaft und ihre Feinde, 2 Bde., Bern 1957. Anhaltspunkte für diese implizite Geschichtsphilosophie finden sich bei Popper in der Annahme eines grundlegenden Konflikts in der Geschichte, dem Kampf zwischen offenen demokratischen und geschlossenen totalitären Gesellschaften. Popper sieht ihn als unaufhebbaren Widerspruch zwischen einem kritischen Rationalismus und der destruktiven Alternative eines durch die materialistische Dialektik begründeten Irrationalismus.

9 Vgl. Max Horkheimer, Zum Problem der Vorraussage in den Sozialwissenschaften, Zeitschrift für Sozialforschung, II, Heft 3, 1933.
Zu dieser vorgängigen praktischen Dimension wissenschaftlicher Tätigkeit vgl. auch Jürgen Ritsert und Claus Rolshausen. Der Konservatismus der kritischen Theorie, Frankfurt/M. 1970.

ist aber der Punkt erreicht, an dem eine nach den Maximen Poppers erarbeitete Prognose nicht mehr verfügbare Techniken und Institutionen nur *analysieren* kann, sondern im Rahmen gesellschaftlich wirksamer Deutungen und Interessen auch *interpretieren* muß.[10]

Die nomologischen Wissenschaften haben jedoch die Suggestion einer wissenschaftlich produzierbaren Verfügungsgewalt auf eine technische Planung gesellschaftlicher Bereiche ausgedehnt; sie haben die instrumentellen Maximen gesellschaftlicher Arbeitsprozesse auf eine zum Rohmaterial technischer Verfügbarkeit vergegenständlichte Gesellschaft übertragen und mit der Konstruktion technischer, scheinbar uninterpretierter Begriffe das ihnen zugrunde liegende Vorverständnis nicht expliziert. »Realität« erscheint als Feld sozialer Tatsachen, aus dem der Zusammenhang von Interesse und Erkenntnis, Rationalität und Herrschaft getilgt ist. Diese Gleichsetzung von Praxis und instrumentellem Handeln wird, wenn ich recht sehe, durch zwei Argumente bekräftigt: die Sonderung praktischer Imperative von der Wahrheitsgeltung einer empirischen Tatsachenfeststellung, und eine Tradition der bürgerlichen Sozialphilosophie, die mit dem Paradigma zweckrationalen Handelns beschrieben werden kann. Sie begründen ein Selbstverständnis von Wissenschaft, das praktisches Handeln von den instrumentell aufgefaßten Systemen gesellschaftlicher Arbeit und gewaltsamer Selbstbehauptung trennt. In der Rekonstruktion dieser Argumente versuche ich den Ausgangspunkt der Diskussion zu gewinnen, die sich auf die Reformulierung ökonomischer Kategorien auf dem Boden von Marktsoziologie und Entscheidungslogik richtet.

1. In der Soziologie Max Webers, welche die Entwicklung der Erfahrungswissenschaften als Teil eines allgemeinen Rationalisierungsprozesses reflektiert, findet sich für die Interessenbasis und den Verwendungszusammenhang der Forschung die These, daß Werte oder Normen zwar als Fakten zum Gegenstand einer systematischen Untersuchung gemacht werden könnten, damit jedoch kein Zwang verknüpft sei, Empfehlungen zu formulieren.[11] Mit diesem Argument einer forschungslogischen Unver-

10 Vgl. Manfred Clemenz, Soziologische Reflexion und sozialwissenschaftliche Methode, Frankfurt 1970.

11 Zur Kritik vgl. J. Mackenzie, Fact and Value, in: Mind, April 1967, und D. Mitchell, Must we talk about Is and Ought, in: Mind, Oct. 1968.

einbarkeit von Werten und Tatsachen stellt Weber die Möglichkeit einer normativen Sozialökonomie in Frage. Während noch die Texte der historischen Volkswirtschaftslehre dem Versuch galten, theoretisch jene Werte zu bestimmen, an denen sich eine erfolgreiche Sozialpolitik orientieren kann – mithin wertende Stellungnahmen implizierten –, löst Weber soziologische Forschung von Politik. Zwar muß man die Suche nach Wahrheit als einen Wert anerkannt haben, um Wissenschaft überhaupt sinnvoll betreiben zu können; mit dieser Voraussetzung treten jedoch alle anderen praktischen Zielsetzungen gleichsam von außen an die Wissenschaft heran. Bei vorgegebenen Werten kann sie eine technologische Klärung der Probleme im Verwendungszusammenhang herbeiführen; sie kann bestimmen, welche Mittel für die Realisierung vorgegebener Zwecke geeignet sind und die Folgen und Nebenfolgen von Handlungen kalkulieren. Die »Wertdiskussion« aber, wie Weber sie im Auge hat, kann weder Zwecksetzungen noch die Wahl zwischen ihnen bestimmen, sie ist technologisch umgrenzt. Wir können die Chancen abwägen, mit bestimmten Mitteln einen Zweck erreichen und, indem wir die innere Konsistenz von Zwecksystemen überprüfen, auch die »letzten Maßstäbe« für ein Handeln als wirksam dartun. Wir können jedoch die Frage, ob die Realisierung von Zwecken in einer historischen Situation praktisch sinnvoll ist, gleichsam nur indirekt, nämlich durch jene Abwägung der Mittel beantworten. Denn jede »denkende Besinnung« auf die letzten Elemente »sinnvollen menschlichen Handelns« ist an die Kategorien Zweck und Mittel, an die Kausalität empirischer Wissenschaften gebunden, der ein Dezisionismus in der Wahl oberster Zwecksetzungen komplementär ist.
Weber sieht freilich, daß die Tatsachenanalyse sich nicht auf alle Merkmale eines Gegenstandsbereiches erstrecken kann; ihre Auswahl ist an ein Bezugssystem erkenntnisleitender Interessen gebunden, die den Zusammenhang zwischen wissenschaftlicher und gesellschaftlicher Wirklichkeit reflektieren.

»Der Begriff der Kultur ist ein *Wertbegriff*. Die empirische Wirklichkeit ist für uns ›Kultur‹, weil und sofern wir sie mit Wertideen in Beziehung setzen, sie umfaßt diejenigen Bestandteile der Wirklichkeit, welche durch jene Beziehung für uns *bedeutsam* werden, und *nur* diese. Ein winziger Teil der jeweils betrachteten individuellen Wirklichkeit wird von unserem, durch jene Wertideen bedingten Interesse gefärbt, er allein hat Bedeutung für uns; er hat sie, weil er Beziehungen aufweist, die für uns infolge ihrer Verknüpfung mit Wertideen *wichtig* sind. Nur weil und soweit dies der Fall (ist), ist er in seiner individuellen Eigenart für uns wissenswert. *Was* aber für uns Bedeutung, das ist natürlich durch keine ›voraussetzungslose‹ Untersuchung des empirisch Gegebenen zu erschließen, sondern seine Feststellung ist Voraussetzung dafür, daß etwas *Gegenstand* der Untersuchung wird.«[12]

Die Kategorien *Wertbeziehung* und *Kulturbedeutung* sollen für Weber die Abgrenzung von Natur- und Kulturwissenschaften sichern. Während die Naturwissenschaften die Wiederholung ursächlicher Verknüpfungen beschreiben, richten die Kulturwissenschaften ihr Erkenntnisinteresse auf historisch eigentümliche Gebilde und Zusammenhänge und deren idealtypische Rekonstruktion. Erst in dieser Beziehung auf historisch wirksame Ziele gewinnen Fakten *Bedeutung* für uns, wird die Erkenntnis von Kulturvorgängen auf einer Ebene von Bedeutungen überhaupt erst möglich. Die aus Paradigmata »relevanter Realitäten des Handelns« gewonnenen und auf Werte bezogenen Idealtypen sind als deskriptive Aussagen, die die Hypothesenbildung anleiten, von Voraussetzungen normativen Gehalts abhängig. Das Postulat der Wertbeziehung gilt der Explikation dieser Voraussetzungen. Weber zieht daraus jedoch keine Konsequenzen auf der Ebene der Forschungslogik: aus Interessen folgen keine Wertungen. Die methodisch korrekte Beweisführung und die logische Analyse von Idealen gewinnen universale Gültigkeit; sie begründen über Raum und Zeit hinweg eine Republik der Gelehrten.
Diese konservativen Implikationen bürgerlicher Wissenschaftstheorien hat Jürgen Habermas erneuert. Er hält an der »Unschuld« instrumentellen Handelns und an Wissenschaft als einem unüberholbaren Projekt der Menschengattung insgesamt fest, so als sei die technische Weltveränderung für uns eindeutig interpretierbar, als biete uns die Geschichte »produktive« Tendenzen an, die wir nur aufnehmen und realisieren müßten.

»So wenig die Idee einer Neuen Technik trägt, so wenig läßt sich die einer Neuen Wissenschaft konsequent denken, wenn anders Wissenschaft in unserem Zusammenhang die moderne, auf die Einstellung möglicher technischer Verfügbarkeit verpflichtete Wissenschaft heißen soll: auch für ihre Funktion, wie für den wissenschaftlich-technischen Fortschritt überhaupt, gibt es kein Substitut, das ›humaner‹ wäre.«[13]

12 Max Weber, Methodologische Schriften, Frankfurt/M. 1970, S. 28/9.
13 J. Habermas, Technik und Wissenschaft als ›Ideologie‹, Frankfurt 1969, S. 58.

Die These freilich, daß unsere Einstellung zur Natur und die Organisationsform des Wissens an eine anthropologisch invariante Handlungsstruktur gebunden sind, und die Abstraktion von historischen Erfahrungen und Klassenlagen kennzeichnet in eigentümlicher Weise einen Aspekt der bürgerlichen Sozialphilosophie, den ich hier nur andeuten kann.

2. In der aristotelischen Unterscheidung von theoretischem, praktischem und produktivem Wissen meint *Theorie* die von den notwendigen Bedürfnissen der gesellschaftlichen Alltagswelt abgehobene Kontemplation letzter Ursachen und Prinzipien. Philosophie als reine Theorie soll in diesem Verständnis allein zu sicheren Einsichten führen. *Praktisches* Wissen bezieht sich auf das moralische und politische Handeln der freien Bürger der Polis, die in gewaltloser Kommunikation von Gleichberechtigten Erfahrungen vortragen und Interesse artikulieren, die schließlich in einem argumentativ begründeten Konsensus aufgehen. Mithin muß die sokratische Dialektik einerseits gerechtes Handeln auf dem Hintergrund empirisch vorfindbarer Motivationen fördern, zum anderen Situationsdeutungen mit den Kriterien von Wahrheit und logischer Konsistenz kritisieren. Beim *praktischen* Problem gerechten Lebens soll es jedoch nicht jenes sichere Wissen geben können, wie es noch Theorie auszeichnet: die praktische Klugheit ist ein vergleichsweise unsicheres Wissen. Das *produktive* Wissen schließlich stützt sich auf sinnliche Wahrnehmungen und Erinnerungen: auf dem Hintergrund von Erfahrungen können die Menschen Kunstfertigkeiten entwickeln, um so die Zusammenhänge der Erfahrungswelt »technischer« Manipulation zugänglich zu machen.
Der kontemplative Theoriebegriff und dieses Konzept von Praxis verweisen auf die Klassenstruktur der Polis. Aristoteles sieht, daß ein bestimmter Stand der Produktivkräfte Bedingung der Möglichkeit von theoretischer Muße ist, ohne jedoch die Klassenherrschaft der Müßigen auch zu denunzieren: er behandelt das »bloße Leben« im Bereich der Arbeit, der Lebenspraxis, residual, weil es sich auf fremdstämmige Handwerker und Tagelöhner oder die Sklavenbevölkerung bezieht. In der Realität des Stadtstaates bleiben Gerechtigkeit und »gutes Leben«, das politisches Handeln generieren soll, auf die Bürger beschränkt; die Kriterien vernünftigen politischen Handelns

sollen nicht auf die Beziehungen der wirklichen Produzenten angewandt werden können.
In dem von Francis Bacon formulierten Wissenschaftsverständnis tritt an die Stelle einer logischen und theoretischen Kasuistik die systematische Beherrschung der Natur durch Techniken. Um die materiellen Existenzbedingungen aller Menschen zu verbessern, muß das produktive Wissen entwickelt werden. Dem korrespondiert auf der theoretischen Ebene das Anknüpfen an kontrollierte Einzelbeobachtungen und induktiv gestützte Verallgemeinerungen. Damit deutet sich bei Bacon der neuzeitliche Gedanke des im Interesse der Naturbeherrschung angewandten abstrakten Wissens an: Wissen wird Macht als wissenschaftlich angeleitete, technische Naturbeherrschung. Für Bacon fällt Praxis weitgehend mit »opere«, der Entfaltung wissenschaftlich angeleiteter Herstellung von Mitteln und der Erweiterung jener Fähigkeiten zusammen, welche die Wohlfahrt der Menschen fördern können. Für ihn ist die Entwicklung der Menschen nur als organisierte Zusammenarbeit mit der Intention einer Verbesserung der Lebensbedingungen vorstellbar. Nicht Probleme *politischer* Herrschaft, sondern der Herrschaft der Menschen über die Natur rücken in das Zentrum der Wissenschaft. Der in der klassischen Philosophie und Politik noch politisch verstandene Logos tritt hinter *Technologie* zurück: instrumentelle Rationalität steht gleichermaßen über politischer Klugheit und reiner Theorie.
Während sich Bacons technologisches Wissenschaftsverständnis im Umkreis der Naturphilosophie hält, hat es Hobbes konsequent auf die Staatslehre übertragen. Die Sozialphilosophie, die einen der Mathematik und Physik vergleichbaren Status der Wissenschaftlichkeit erhalten soll, legt die fundamentalen Einsichten fest, unter denen sich der Staatsverband vom Politiker in der Einstellung des Technikers regulieren läßt. Was im Kontext systematisch organisierten Wissens bei gegebenen Zielsetzungen und unter analysierten Bedingungen zweckrational getan werden muß, rückt in das Zentrum der Reflexion auf Praxis. Wenn Hobbes mit dem Naturzustand charakterisiert, wie das Leben ohne »allumfassende Gewalt« vor sich gehen würde, deduziert er scheinbar aus einem Zustand, der logisch der bürgerlichen Gesellschaft vorausgeht, den Drang des Menschen nach Anerkennung eines souverän regierten Staates. Nur so können in seinem Verständnis die der Natur des Menschen inhärenten Streit-

ursachen – Konkurrenz, Mißtrauen und Ruhmsucht – in die Rahmenbedingungen eines bescheidenen Lebens sublimiert werden. Hobbes kann jedoch diese präsozialen Verhaltensweisen nur auf dem Hintergrund der historischen Erfahrung der bürgerlichen Marktgesellschaft entwerfen – ausgehend von einem gesellschaftlichen System selbstinteressierter Einzelner, die auf dem Markt interagieren und deren Beziehungen in einem System von Rechtsregeln und Prinzipien abgesichert sind.[14] Der in *Leviathan* skizzierte Mensch ähnelt einer automatischen Maschine, die ihre Bewegung mit der Verschiedenartigkeit des verbrauchten Materials reguliert: die Sinne empfangen den Druck äußerer Körper und übertragen die Impulse in Gehirn und Herz; Phantasie und Gedächtnis speichern; die Ströme von Einbildung und Gedanken können die wahrscheinlichen Resultate möglicher Handlungen kalkulieren; die Sprache macht die Maschine mitteilungsfähig; in dem Spiel mit Worten findet schließlich der Verstand zu Sätzen und Orientierungsregeln. Bewegungen dieser Maschine können als Begierden und Neigungen interpretiert werden. Hobbes glaubt damit, Grundmerkmale der menschlichen Natur bewegter Körper überhaupt gefaßt zu haben, die den Bewegungsprinzipien *appetite* und *aversion* folgen. In seinem Verständnis führen körperliche und geistige Fähigkeiten zu unterschiedlich ausgeprägten instrumentellen Machtmitteln, die Chiffren der Verfügungsgewalt über andere Menschen sind. Die Menschen können nur durch die Übertragung von Recht und Macht, die Anerkennung von Verpflichtungen gegenüber einem Souverän, der Gefahr des gewaltsamen Todes entgehen: moralische Pflichten ergeben sich aus Tatsachen. Wenn alle Menschen gleichermaßen fragile Systeme sich selbst bewegender Materie sind, daran interessiert, die Bewegung aufrechtzuerhalten, haben sie gleiche Fähigkeiten und Erwartungen, die Rechtsgleichheit nach sich ziehen. Die Objektivität des Marktes hebt Ungleichheit der Ränge und Stände auf, sie schafft eine Gleichheit der Unsicherheit. Da Neigungen und Abneigungen, die im System der Empfindungen als Lust und Unlust erscheinen, die Triebkräfte menschlichen

14 Vgl. Jürgen Ritsert, Substratbegriffe in der Theorie des sozialen Handelns, in: Soziale Welt 19, 1968; ders., Systemstabilisation und Grundannahmen des Liberalismus, in Erkenntnistheorie, Soziologie und Empirie, Frankfurt/M. 1971; Thomas P. Wilson, Conceptions of Interaction and Forms of Sociological Explanation, in: American Sociological Review 35, 1970, S. 697 ff.

Handelns bilden, sind »gut« und »gerecht« nun nicht mehr vom politischen Logos bestimmte Handlungen oder Institutionen sondern Objekte von Verlangen. Durch diese Abstraktion auf dem Hintergrund einer gesellschaftlichen Erfahrung kann Hobbes den Naturzustand erst als Abstraktion der inneren Gewaltverhältnisse der bürgerlichen Gesellschaft entwerfen.
Die scheinbar physiologisch gerichtete Analyse spiegelt die Logik einer Eigentumsmarktgesellschaft. Gleichwohl verkehrt Hobbes wie Smith und Ricardo in der Rekonstruktion des Naturzustandes die Merkmale bürgerlicher Individualität zur ersten Natur des Menschen.

»Den Propheten des 18. Jahrhunderts, auf deren Schultern Smith und Ricardo noch ganz stehn, schwebt dieses Individuum des 18. Jahrhunderts – das Produkt einerseits der Auflösung der feudalen Gesellschaftsformen, andrerseits der seit dem 16. Jahrhundert neuentwickelten Produktivkräfte – als Ideal vor, dessen Existenz eine vergangne sei. Nicht als ein historisches Resultat, sondern als Ausgangspunkt der Geschichte. Weil als das Naturgemäße Individuum, angemessen ihrer Vorstellung von der menschlichen Natur, nicht als ein geschichtlich entstehendes, sondern von der Natur gesetztes.«[15]

Smith erkennt objektive gesellschaftliche Zusammenhänge im Markt- und Preismechanismus; seine Grundlage, die Lehre von den Produktionsfaktoren, reflektiert die historische Erfahrung von Klassenlagen. Aber der bürgerlichen Reflexion verkehren sie sich zu Naturgesetzen. Der gesellschaftliche Charakter der Tätigkeit, wie die gesellschaftliche Form des Produkts erscheint hier als den Individuen gegenüber Fremdes, Sachliches; nicht als ihr eigenes Verhalten sondern als ihr Unterordnen unter Verhältnisse, die unabhängig von ihnen aus dem Anstoß der gleichgültigen Individuen untereinander entstehen.
In einer Kritik der »Existenzbestimmungen« der kapitalistischen Gesellschaftsform und der Totalität naturwüchsiger Produktion versucht Marx daher den Zusammenhang von Rationalität und Herrschaft in einer Theorie des faktischen Substrats zu klären, die zugleich ideologiekritisch gegen das Selbstverständnis der bürgerlichen Gesellschaft gerichtet ist.
Das historische Individuum arbeitet von natürlichen und historischen Grundlagen aus. Erste Produktivkraft ist das Gemein-

15 Karl Marx, Grundrisse der Kritik der Politischen Ökonomie, Berlin 1953, S. 5/6.

wesen, das ursprünglich als »Produktivwesen« unterstellt werden kann, da die Einheit des Menschen mit den Bedingungen ihres Stoffwechsels mit der Natur noch nicht in Frage gestellt ist. Erst die Geschichte der Entwicklung vorkapitalistischer Produktionsformen ist die Geschichte der Trennung der Arbeit von den Bedingungen ihrer Verwirklichung, wie sie im Verhältnis von Lohnarbeit und Kapital zum Ausdruck kommt.

»Der Prozeß, der das Kapitalverhältnis schafft, kann ... nichts andres sein als der Scheidungsprozeß des Arbeiters vom Eigentum an seinen Arbeitsbedingungen, ein Prozeß, der einerseits die gesellschaftlichen Lebens- und Produktionsmittel in Kapital verwandelt, andrerseits die unmittelbaren Produzenten in Lohnarbeiter. Die sog. ursprüngliche Akkumulation ist also nichts als der historische Scheidungsprozeß von Produzent und Produktionsmittel.«[16]

Der kapitalistische Produktionsprozeß produziert Ware und Mehrwert, Kapitalisten und Lohnarbeiter. Die Produktion setzt die Formen des Eigentums nicht als subjektive Willensäußerungen, die sich juridisch objektivieren, sondern als reale Formen der Produktionsverhältnisse.
Die praktische Auseinandersetzung mit der Natur, die Anwendung der Maschinerie, die die Distribution der Produktionsinstrumente und der Produkte verändert, zerstört die Einheit des Gemeinwesens. Die naturwüchsige Verschiedenheit der Produkte zieht den Austausch und die Verwandlung der Produkte in Waren nach sich, eine gesellschaftliche Gesamtproduktion.[17]
In der naturwüchsigen Teilung der Arbeit wird die »eigene Tat des Menschen zu einer fremden gegenüberstehenden Macht«, zu einem Funktionskreis der Lebenserhaltung. Die Entfaltung des Begriffs abstrakter Arbeit setzt die Ablösung des Arbeitsvermögens von der Individualität des einzelnen und die Gleichgültigkeit gegen eine bestimmte Art der Arbeit voraus.

»So entstehn die allgemeinsten Abstraktionen überhaupt nur bei der reichsten konkreten Entwicklung, wo Eines vielen gemeinsam erscheint, allen gemein ... Andrerseits ist diese Abstraktion der Arbeit überhaupt nicht nur das geistige Resultat einer konkreten Totalität von Arbeiten. Die Gleichgültigkeit gegen die bestimmte Arbeit entspricht einer Gesellschaftsform, worin die Individuen mit Leichtigkeit

16 Karl Marx, Das Kapital, I, Berlin 1963, S. 742.
17 Zur Entwicklung des Geldes und gesellschaftlichen Reichtums zum realen Gemeinwesen, vgl. Helmut Reichelt, Zur logischen Struktur des Kapitalbegriffs bei Karl Marx, Frankfurt 1970.

aus einer Arbeit in die andre übergehen und die bestimmte Arbeit ihnen zufällig, daher gleichgültig ist. Die Arbeit ist hier nicht nur die Kategorie, sondern in der Wirklichkeit als Mittel zum Schaffen des Reichtums überhaupt geworden, und hat aufgehört als Bestimmung mit den Individuen in einer Besonderheit verwachsen zu sein. Ein solcher Zustand ist am entwickeltsten in der modernsten Daseinsform der bürgerlichen Gesellschaft – den Vereinigten Staaten. Hier also wird die Abstraktion der Kategorie ›Arbeit‹, ›Arbeit überhaupt‹, Arbeit sans phrase, der Ausgangspunkt der modernen Ökonomie, erst praktisch wahr.«[18]

Die freie Konkurrenz macht die immanenten Gesetze der kapitalistischen Produktion als ›äußerliche Zwangsgesetze‹ geltend. Der unmittelbare Zwang, der vorkapitalistischen Gesellschaftsformen eigentümlich ist, geht in den »stummen Zwang« der ökonomischen Verhältnisse über, die als Naturgesetze kapitalistische Herrschaft garantieren.

»Außerökonomische, unmittelbare Gewalt wird zwar immer noch angewandt, aber nur ausnahmsweise. Für den gewöhnlichen Gang der Dinge kann der Arbeiter den ›Naturgesetzen der Produktion‹ überlassen bleiben, d. h. seiner aus den Produktionsbedingungen selbst entspringenden, durch sie garantierten und verewigten Abhängigkeit vom Kapital.«[19]

Die sachenvermittelte Beziehung von Personen bedarf im Tausch der wechselseitigen Anerkennung.

»Um diese Dinge als Waren aufeinander zu beziehn, müssen die Warenhüter sich zueinander als Person verhalten, deren Willen in jenen Dingen haust, so daß der eine nur mit dem Willen des andren, also jeder nur vermittelst eines, beiden gemeinsamen Willensakts sich die fremde Ware aneignet, indem er die eigne veräußert. Sie müssen sich daher wechselseitig als Privateigentümer anerkennen. Dies Rechtsverhältnis, dessen Form der Vertrag ist, ob nun legal entwickelt oder nicht, ist ein Willensverhältnis, worin sich das ökonomische Verhältnis widerspiegelt. *Der Inhalt dieses Rechts- oder Willensverhältnisses ist durch das ökonomische Verhältnis selbst gegeben.«*[20]

Dieses Verhältnis juristisch gleicher Personen jedoch ist Resultat einer vorausgegangenen historischen Entwicklung, der Teilung der Arbeit zu einem System allseitiger Abhängigkeit, der ge-

---

18 Karl Marx, Grundrisse, a.a.O., S. 25.
19 Karl Marx, Kapital I, a.a.O., S. 765; vgl. auch S. 28● ff.
20 Karl Marx, a.a.O., S. 99 (Hervorhebung von mir, C. R.).

waltsamen Trennung der Produzenten von den Produktionsmitteln und deren antagonistischer Reproduktion durch das Tauschverhältnis.

»Die *Funktionen,* die der Kapitalist ausübt, sind nur die mit *Bewußtsein* und *Willen* ausgeübten Funktionen des Kapitals – des sich verwertenden Werts durch Einsaugung der lebendigen Arbeit – selbst. Der Kapitalist funktioniert nur als *personifiziertes* Kapital, das Kapital als Person, wie der Arbeiter nur als die personifizierte *Arbeit,* die ihm als Qual, als Anstrengung, die aber dem Kapitalisten als Reichtum schaffende und vermehrende Substanz gehört, wie sie als solche in der Tat als dem Kapital im Produktionsprozeß einverleibtes Element, sein lebendiger, variabler Faktor erscheint.«[21]

Die Menschen fungieren als Personifikationen ökonomischer Kategorien, durch das Interesse der Selbstbehauptung verbunden: ihre Rationalität ist Eigeninteresse. Marx kritisiert in den faktischen Herrschaftsverhältnissen die den gesamten Lebensprozeß interpretierende *Wissenschaft,* in der sich das Selbstverständnis der bürgerlichen Gesellschaft ausdrückt, und begreift *Theorie* als Selbstbewußtsein politischer Emanzipation des Proletariats. Indem sich die Kritik der politischen Ökonomie auf eine gesellschaftliche Totalität, auf die Aneignung der Natur innerhalb einer bestimmten Gesellschaftsformation bezieht, bewahrt sie das Moment einer praktischen Erzeugung und Aneigung historischer Existenzbedingungen, einer Erzeugung der Gattung durch Praxis.[22] In der Analyse des zweckrationalen Handelns, die Max Weber vorbereitet, deutet sich eine kontingente Konstruktion dieses Zusammenhanges an: eine Substitution von Praxis durch Technologie.

Auf Weber geht die Annahme zurück, daß Handeln rational ist, wenn es, auf das Handeln anderer bezogen, Zwecke oder Werte zu verwirklichen sucht. Für die von ihm entworfene Wissenschaft, die das deutende Verstehen des sozialen Handelns und die ursächliche Erklärung seines Ablaufs und seiner Wirkungen zum Programm hat, wird vor allem zweckrationales Handeln verständlich, das durch »Erwartungen des Verhaltens

21 Karl Marx, Resultate des unmittelbaren Produktionsprozesses, Frankfurt 1969, S. 17.

22 Zum Verhältnis von Theorie und politischer Emanzipation vgl. auch Max Horkheimer, Philosophie und kritische Theorie, in: Zeitschrift für Sozialforschung, VI, 1937, Heft 3, ders., Traditionelle und kritische Theorie, a.a.O., VI, 1937, Heft 2.

von Gegenständen der Außenwelt und von anderen Menschen« bestimmt wird und sie in der instrumentellen Perspektive der Verfolgung eigener Zwecke situiert. Obwohl der Vergleich von Kosten und Ertrag das bestimmt, was Weber wirtschaftliches Handeln nennt, entfaltet der Kapitalismus unter Voraussetzungen einer verläßlich formalisierten Rechtsordnung und Verwaltung die rationale Organisation freier Arbeit: sie kommt einerseits in der immanenten Tendenz zur Markterweiterung, andererseits in der Zunahme abstrakter Satzungen und in der Bürokratisierung von Herrschaftsverhältnissen zum Ausdruck.
Weber verknüpft mit den zweckrationalen Erwägungen von Vorteilen und Nachteilen Kontinuitäten des Handelns: die Chancen, daß in einer »angebbaren Art« das faktische Verhalten den Erwartungen folgt und soziale Beziehungen konstituiert. Über einen wert- oder zweckrational motivierten Interessenausgleich hinaus, wie er für Vergesellschaftung charakteristisch ist, werden dauerhaft Beziehungen durch eine Ordnung konstituiert, die das Prestige der Vorbildlichkeit für sich beanspruchen kann. Ihre Geltung besteht für Weber freilich nur in der Wahrscheinlichkeit, daß sich Handeln daran orientiert. In seinen historisch gerichteten Analysen enthüllen sich daher auch der rationale Tausch und die formal freie Preisbildung des Marktes als Kompromisse von Machtkämpfen, wird zweckrationales Handeln zum Paradigma von Tauschgesellschaften. Rationalität der kapitalistischen Ökonomie und Herrschaft sind eng verknüpft. Da die Kapitalrechnung Sicherheit und Formalität von Rechtsordnung und Verwaltung verlangt, ist allerdings die Versachlichung dieser Gewaltherrschaft in einer universalistischen Zwangsanstalt Bedingung und Folge der Rationalisierung: der Staat ist ein Betrieb und ein Monopol der Gewaltsamkeit, ein »Gemeinschaftshandeln« zweier Klassen und eine oktroyierte Ordnung zugleich. Die Rationalität der Wirtschaft ist einmal durch die politische Herrschaft gesichert, welche Eigentum und Vertragsfreiheit garantiert, zum anderen durch innerbetriebliche Disziplin. Der Arbeitsvertrag, in den die Fiktion einer Interessenidentität von ökonomisch Ungleichen eingeht, konstituiert ein autoritäres Herrschaftsverhältnis, das sich hinter der formalen Rechtsgleichheit des Arbeitsmarktverkehrs verbirgt. Weber notiert den Widerspruch, daß formale und materiale Rationalität auseinanderfallen, ohne jedoch den Schein naturgesetzlicher Notwendigkeit dieser Verhältnisse zu durchbrechen. Die Antinomie,

die er als grundlegende und unentrinnbare Irrationalität hypostasiert, enthält selbst ein implizites Paradigma.
Sie ist auf das Modell einer Wirtschaft bezogen, die strategisch eine Knappheit an Produktionsmitteln in Rentabilitätskalküle übersetzt. Sie setzt eine Gesellschaftsordnung voraus, in der vereinbarte Satzungen gleichsam als Grenzen sinnhafter Orientierungen Einverständnis konstituieren, das in ihnen aufgehen soll. Legitime Ordnungen, Recht und Konvention, werden in der Perspektive von Weber nicht durch Diskurs sondern als Chance physischen Zwangs konstituiert. Der Legitimitätsglaube ist eine historisch wirksame Illusion, welche die auf die strategische Ableitung von Handlungsmaximen gestützte technische Effizienz und die dezisionistische Zwecksetzung verdeckt.
Diesen Begriff von Rationalität, den operativen Wert der Vernunft, hat Max Horkheimer mit der kapitalistisch organisierten Naturbeherrschung in Zusammenhang gebracht, die auf Begriffe als technische Zusammenfassungen von Daten, auf arbeitsparende Mittel angewiesen ist. Herbert Marcuse hat an die methodologischen Ursprünge einer Rationalität erinnert, die mit der fortschreitenden Industrialisierung die eigentümliche Dialektik einer zunehmenden produktiven Manipulation der Natur mit einer Manipulation des Bewußtseins verbindet.[23] Die in diesem Bezugsrahmen begründete wissenschaftliche Vernunft verengt den Konsens über Gegenstände von Erkenntnis; kapitalistisch motivierte Aneignung der Natur strukturiert Erkenntnis und bringt Fragestellungen hervor, die nur diesem gesellschaftlichen Projekt, nur dieser Wissenschaft eigentümlich sind.
Diese »Rationalisierung« der Erfahrung hat die Sozialwissenschaften auf technologisch relevantes Verfügungswissen festgelegt und die Deutung ihres Praxisbezugs als Bewertung von Informationen im Interesse der Selbsterhaltung adaptiver Systeme nahegelegt.[24] Die intersubjektive Nachprüfbarkeit, wie Popper sie im Auge hat, ist ja auch auf Kriterien eines Handlungserfolgs bezogen, der sich im Zusammenhang arbeitender Gruppen und in der Suggestion »erfolgreicher« Herrschaftssysteme eingespielt hat. Die Beschränkung der Wissenschaft auf

23 Vgl. Herbert Marcuse, Der eindimensionale Mensch, Neuwied/Berlin 1967; Max Horkheimer, Zur Kritik der instrumentellen Vernunft, Frankfurt/M. 1968.

24 Vgl. Hans Albert, Plädoyer für einen kritischen Rationalismus, München 1971; zur Kritik Karl Otto Apel, Wissenschaft als Emanzipation, in: Zeitschrift für allgemeine Wissenschaftstheorie, Bd. 1, 2, München 1970.

die Gedankenspiele alternativer hypothetischer Problemlösungen überläßt die Vorverständigung über die geschichtliche Situation von Gesellschaften den Konventionen einer systemimmanenten »wissenschaftlichen« Politikberatung. Sie setzt voraus, daß menschliches Handeln in Naturgesetzen kalkulierbar wird, welche die historischen Formen der Lebenserhaltung und die investierten Erkenntnisinteressen zugunsten eines konstant gesetzten Interesses an der bloßen Selbsterhaltung der Gattung verdrängen. Die Interpretation der Kategorien Rationalität und Herrschaft bei der Soziologisierung ökonomischer Kalküle ist dafür ein instruktives Beispiel.
Diese Versuche einer »Soziologisierung« ökonomischer Kalküle gehen aus der Kritik an Sprachspielen hervor, die die Analyse von Objektbereich und Gegenstand ausschließen und sie einer Metatheorie vorbehalten, welche die logische Grammatik der zur Charakterisierung der Grundbegriffe gebrauchten Ausdrücke untersucht. Diese Sprachspiele stellen nicht, wie Terence Hutchison gezeigt hat, die »Tatsachenfrage« nach Wahrheit und Falschheit der Annahmen, da die Schlußfolgerungen grundsätzlich schon in den Annahmen enthalten sind.

»Sätze reiner Theorie handeln von der Sprache, von der Art und Weise, wie Wörter gebraucht werden. Ihre Gültigkeit hängt von der Definition der Wörter ab, die sie enthalten. Sie sind in einem gewissen, nicht notwendigerweise abfälligen Sinne, Tautologien. Daher vermitteln sie in einem gewissen Sinne keine Erkenntnisse, d. h., sie können uns keine neuen Tatsachen über die Welt geben.«[25]

Diese hypothetischen Systeme, die Beziehungen zwischen Aussagen erklären, schließen empirisch gewonnene Kritik aus; sie erwecken Aufmerksamkeit für den Gebrauch der Sprache, dekken Implikationen auf und umschreiben ein deduktiv gewonnenes Begriffssystem, mit dem wir uns über die »Tatsachen der Welt« (Hutchison) verständigen können; dessen Widerspruchsfreiheit wird zum Kriterium für Konsistenz. Hans Albert erläutert es am Beispiel der Lehre vom Güter-Maximum, die die Frage zu beantworten versucht, wie alle Güter bewertet werden, um mit der Anpassung der Produktion den gesellschaftlichen Gesamtnutzen zu maximieren. Das Wertsystem entspricht dabei dem der Gleichgewichtspreise bei vollständiger Konkurrenz; alle

25 Terence Hutchison, Theoretische Ökonomie als Sprachsystem, in: Hans Albert (Hg.), Theorie und Realität, Tübingen 1964, S. 275.

Wirtschaftssubjekte erreichen ein Maximum an Ophelimität und haben bei vollkommener Markttransparenz keine Veranlassung, ihr auf Gewinn- und Einkommensmaximierung gerichtetes Verhalten zu ändern. Freilich gibt es weder einen brauchbaren Maßstab für die Bewertung des Sozialprodukts noch für die interpersonelle Vergleichbarkeit der Bedürfnisse; faktisch ist die Nachfrage von der Kaufkraft und den Preisen abhängig. Die statische Theorie definiert daher mit ihren Aussagen lediglich das einem bestimmten Datenkranz im Modell zuzuordnende Idealpreissystem, dem sie, ebenfalls definitorisch, Optimalcharakter in bezug auf die Bedürfnisbefriedigung der ganzen Wirtschaft zuordnet.[26]

Diese Eingrenzung der Variablenfelder durch ceteris-paribus-Klauseln, die Prognosen von der Konstanz bestimmter Bedingungen abhängig macht, schließt empirische Verallgemeinerungen explizit aus; der Verzicht darauf, auch empirisch zu informieren, ermöglicht den allgemeinen Charakter der Hypothesen.

»In this case the fact the *predicted* value of one or more variables is not observed in the specified space-time region does not lead to the rejection of any of the laws used in making the prediction: it is always possible to explain the discrepancy between the prediction and the observed event by the nonfulfilment of the *ceteris-paribus* condition.«[27]

Aus dieser Immunisierungsstrategie des Modell-Platonismus, die logische Voraussetzungen mit empirischen Bedingungen, Annahmen über prinzipiell mögliches Handeln mit überprüfbaren Hypothesen verwechselt, resultiert eine Forschungsstrategie, die die spieltheoretische Fassung ökonomischer Optimierung in die ky-

---

26 Vgl. Hans Albert, Modell-Platonismus, in: Logik der Sozialwissenschaften, a.a.O., S. 411. Ebenso gilt das Nachfragegesetz, das die von den Konsumenten nachgefragte Menge eines Gutes als monoton abnehmende Funktion eines Preises charakterisiert, nur dann, wenn alle anderen Bedingungen gleich bleiben.

27 Emile Grunberg, Notes on the Verifiability of Economic Laws, in: Theorie und Realität, a.a.O., S. 142.
Von der Überlegung ausgehend, daß nur bei geschlossenen Systemen oder durch die Kontrolle exogener Variablen eine empirische Überprüfung möglich ist, führt Grunberg ökonomische Hypothesen auf falsifizierbare Gesetze anderer Sozialwissenschaften zurück, um Prognosen zu gewinnen. Im Anschluß daran weist Fleischmann am Beispiel der Gewinnmaximierung darauf hin, daß sich die Implikate unrealistischer Annahmen bewähren können. Vgl. G. Fleischmann, Nationalökonomie und sozialwissenschaftliche Integration, Tübingen 1966.

bernetische Dimension einer Lösung von Systemproblemen verlängert, indem sie Kalküle interpretiert. Sie geht davon aus, daß wir Beobachtungsdaten in der Beobachtungssprache L_0 formulieren und aus einem darauf beruhenden Modell in theoretischer Sprache L_t Prognosen über die Entwicklung realer Systeme ableiten. Die Sätze dieser Sprache müssen den Regeln der Syntax entsprechen und sinnvoll durch Rückführung auf eine endliche Klasse von Beobachtungssätzen »bestätigungsfähig« sein. Die theoretische Sprache erlaubt nämlich nur die Formulierung uninterpretierter Kalküle. Die *Interpretation* erfolgt daher mit Hilfe von Korrespondenzregeln, die theoretische und Beobachtungssprache verknüpfen. Diese Interpretationen sind jedoch mehrdeutig, da nur ein bestimmter Wertbereich der Variablen gedeutet wird und theoretische Begriffe mit mehreren empirischen Aussagen in Verbindung gebracht werden können. Zuverlässige Prognosen können nur in einem Verhaltenssystem erreicht werden, dessen Generierung mit der Gewinnung theoretischer Aussagen selbst identisch ist. Diese Ansprüche erfüllen Computerprognosen in der Simulation kognitiver Prozesse. In der Modellanalyse von Systemen werden ja kognitive Prozesse zu der elektronischen Datenverarbeitung in Beziehung gesetzt. Zwischen den Elementen eines Verhaltenssystems bestehen energetische und informationelle Kopplungen, die einzelnen Variablen können im Zeitablauf unterschiedliche Werte annehmen. Simulation meint dann die Ableitung von Wertkonstellationen aus Ausgangsbedingungen und Modellfunktionen.

Dieser Prozeß kann als bürokratische oder kybernetische Utopie gedeutet werden.[28] Die bürokratische Utopie zielt auf eine staatsinterventionistisch gewonnene Perfektion des Informations- und Kommunikationssystems; sie isoliert organisatorische Einheiten, deren über die Hierarchie von Entscheidungsfindung und Aufgabendelegierung hergestellte Rationalität sie freilich nur unterstellen kann: sie kann sich nicht auf einen Konsens beziehen, der noch die scheinbar unideologische Rationalität einer Aufgabenerledigung reflektiert. In der kybernetischen Utopie werden ihrem Anspruch nach mit der industriellen Verarbeitung von Informationen die Steuerungstechniken selbst verändert. Der freie Fluß von Informationen ermöglicht

28 Vgl. auch Theo Pirker, Von der Herrschaft über Menschen zur Verwaltung der Dinge, in: Archives Européennes de Sociologie 1, 1964.

die maximale Akkumulation von Wissen und dessen effiziente technologische Übersetzung. »Soziale Einheiten« werden als geschlossene Informationssysteme aufgefaßt, die, untereinander verbunden, sich selbst regulieren. Ein Konsens zur langfristigen Planung löst Hierarchien auf und verbindet idealtypisch Organisation und Technik.
Dieses Pathos kennzeichnet die Versuche, in der systematischen Abstraktion von biologischen oder technischen Abläufen Aussagen allgemeiner Gültigkeit zu formulieren und die Effizienz von Regelungssystemen nachzuzeichnen. Die Einbeziehung externer Variablen in die Transformationslogik von Maschinensystemen und die Interdependenz verhaltenssteuernder Parameter bilden die Vorstufe für die Bestimmung von »Komplexitätszusammenhängen«. Aus der Kritik an den sozialkybernetisch interpretierten Konzepten von Steuerung und Selbstregulierung (vgl. S. 38 ff.) gehen die im engeren Sinn »soziologischen« Versuche zur Formulierung allgemeiner Theorien hervor. Das von Adolph Lowe vorgeschlagene Programm einer politischen Ökonomik legt auf einer *politischen Ebene* Makroziele und qualifizierende Faktoren, auf einer *wissenschaftlichen Ebene* den ausgearbeiteten Systempfad und auf einer *administrativen Ebene* die praktische Anwendung von Kontrollmechanismen fest. Es gilt einer politischen Ökonomie von Herrschaftssystemen, wie sie die Theorien der Leit- und Folgesektoren, der Soziologie kommerzieller Beziehungen und die funktionale Analyse gesellschaftlicher Subsysteme dokumentieren.
Den hier diskutierten Theorien ist eine Kritik ökonomischen Zwangs gemeinsam. Diese Kritik soll darüber hinaus gleichsam oberhalb der ideologischen Begründungen von Gesellschaftssystemen ein »neutrales Wissen« ausbilden und Herrschaft als jenes »allgemeine Phänomen« dokumentieren, wie es in den Sprachspielen der Systemtheorie zum Ausdruck kommt. Eigentum und Herrschaft sind in dieser Perspektive verschiedene Bestimmungsfaktoren sozialer Positionen; eine Theorie der Sozialstruktur und der gesellschaftlichen Entwicklung sei daher nicht – oder nicht mehr – auf eine Analyse der objektiven Komponenten der Sozialstruktur in Kategorien der politischen Ökonomie angewiesen; sie müsse vielmehr Archetypen des sozialen Denkens wie das Konsens- und Herrschaftsmodell oder theoretische Postulate und empirische Generalisierungen systematisch verbinden. Diese Argumentation stützt sich vor allem

auf die Entwicklungslinien des technischen Fortschritts und der quantitativen Zunahme des Mehrprodukts, die sich zu Netzwerken einer durch Kontrolltechniken befestigten Ungleichheit verknüpfen, abstrahiert jedoch vom historischen Charakter der Bedürfnisse und der Technologie selbst. Die objektive Struktur der Gesellschaft erscheint in einer Metaphysik der Produktivkräfte, die die Legitimation politischer Herrschaft absichert. Die Modelle sozialen Handelns und Marktverhaltens stützen sich daher auf die Annahme invarianter Handlungsstrukturen. Entweder werden Handlungszusammenhänge in nomologischen Aussagen über Regelmäßigkeiten ausgedrückt oder in strategischen Kalkülen als unabdingbare und rationale Grundnormen sozialen Verhaltens formuliert. Die Konsequenz dieser Orientierung ist eine eigentümlich verkürzte Perspektive auf historisch bestimmte Formen von Herrschaft: Merkmalbestimmungen der Gattung verstellen den Blick auf jene Zwänge, die sie durch ihre eigene Praxis historisch hervorbringt.

Gleichwohl hat die Resoziologisierung ökonomischer Kalküle eine Erneuerung der politischen Ökonomie insofern zur Folge, als die Analyse der Produktion, Verteilung und Konsumtion von Gütern, die sich im mathematischen Kalkül auf die Bewegung physischer Objekte verdünnt hat, über die Sozialpsychologie von Wahlakten auf Herrschaft und Rationalität bezogen wird.

Die Argumente, die auf die Verknüpfung marktsoziologischer und entscheidungslogischer Momente in einer *allgemeinen Theorie* abzielen, teilen in eigentümlicher Weise die Schwächen kybernetischer Analogien selbst da noch, wo sie sich von deren Grundannahmen scheinbar gelöst haben.

Obwohl diese Theorien mit dem Anspruch der Neubegründung einer politischen Ökonomie belastet sind und eine implizite Geschichtsphilosophie enthalten, so lautet meine *erste These*, funktionieren ihre Interpretationsregeln nur nach Kriterien der Effizienz. Sie überführen damit ein Paradigma bürgerlicher Sozialphilosophie, die systematische Beherrschung der Natur, in den historischen Kontext von Planungsstrategien. Der in diese Ansätze eingelassene Sinnbegriff, so lautet meine *zweite These*, läßt sich auf die Zweck-Mittel-Relationen zurückverfolgen, die, indem sie Sinngebung beanspruchen, den affirmativen Fehlschluß nahelegen, Gesellschaft sei vom Subjekt her verstehbar und tendenziell mit ihm versöhnt. Die Kritik historischer Legitimationen, deren Pathos diese theoretischen Ansätze trägt, hat zunächst noch die aufklärerische Intention, aus der wissenschaftlichen Tradition das Programm lösbarer Einzelprobleme zu gewinnen. Der logische Zusammenhang zwischen Naturgesetzen und ihrer konventionell gesicherten technologischen Form führt jedoch zu der konservativen Illusion einer Auflösung von Herrschaft in technischer Kontrolle und einer als Freiheit gedeuteten Zweckrationalität. Am Verhältnis von Marktsoziologie und Entscheidungslogik versuche ich daher die verborgenen Muster einer klugen Anpassung und einer schon immer »legitim« gesicherten Herrschaft nachzuweisen.

1.2 Logik rationaler Wahl und politische Ökonomik

Die Modelle der reinen Wirtschaftstheorie waren den reaktiven Systemen der Mechanik nachgebildet. Ihr Grundmuster war die Anziehung und Abstoßung von Einheiten und ein den Funktionsbegriff sicherndes Infinitesimalkalkül.[1] Im Kontext einer naturgesetzlichen Interpretation ökonomischer Systeme wurde zwischen ökonomischen Kategorien und Elementen einer formalisierten Sprache ein Entsprechungsverhältnis hergestellt. Einen Systembegriff, der dem Adäquanzkalkül entspricht, und gleichsam ihr eigenes Verfahren reflektiert, hat die reine Theorie nicht entwickelt. Die analytische Beziehung auf Funktionsnetze rechnet wie bei der Konzeption des Gleichgewichts umstandslos mit reaktiven Systemen. In der von Augustin Cournot vorgeschlagenen Marktformenlehre versucht ein Monopolist eine Funktion zu maximieren, deren relevante Variablen er kontrolliert. Die Preisbildung ist jedoch allein deshalb nicht mehr eindeutig durch Reaktionsfunktionen determiniert, daß bei wenigen Anbietern die Dispositionen interdependent sind und für eine Gleichgewichtsanalyse zusätzliche Hypothesen über die nicht kontrollierten Variablen eingeführt werden müssen: Handlungen werden damit zum Resultat einer komplexen Strategie. Deren einfachstes Muster ist die spieltheoretische Lösung des ökonomischen Optimierungsproblems. Emanuel Lasker hat den »Macheiden« als einen Spieler beschrieben, dem für alle Situationen optimale

1 Vgl. zum Überblick Gerhard Kade, Die logischen Grundlagen der mathematischen Wirtschaftstheorie als Methodenproblem der theoretischen Ökonomik, Berlin 1958.

Strategien zur Verfügung stehen. Im kategorialen Bezugsrahmen von sogenannten »Charakteren« des Lebens, die nach Dauer streben und auf kodierte Erfahrungen zurückgreifen, stellt Emanuel Lasker die Ausgangsfrage nach einem Grenzwert, dem die sich kumulativ verbessernden, aus »gestaltungsreichen Keimen« entwickelten »Systeme« zustreben. Die durch das Gedächtnis konstituierten Macheiden, Personalisierungen sachlicher Bedingungen, handeln ohne Zögern und Zweifel mit eindeutiger Bestimmtheit: ihr Gedächtnis ist ein starres Programm. Wenn analoge »Kämpfe« dieselbe Struktur besitzen, folgert Lasker weiter, muß es eine einheitliche Sprache geben, die sie beschreibt: eine Wahrscheinlichkeit, der der simulierte Kampf folgt.

»*Das Prinzip der Ökonomie* wird also dem Macheiden Anweisung geben, seinen augenblicklichen Entschluß so auszuführen, daß bei n-maliger Wiederholung des Kampfes von jener Stelle aus für den Limes, wo n beliebig groß, sein Gesamtverlust am augenblicklichen Wert so klein als möglich sei.«[2]

Der Macheide wird sein Ziel mit dem geringsten Aufwand an Mitteln zu erreichen suchen. Die Wirksamkeit dieses Kalküls, das »Opfer« einschließt, liegt in der Fähigkeit zur Voraussicht. Der Angriffsplan besitzt retrospektiv die Struktur eines Beweises, der von feststehenden Regeln und Zugeständnissen ausgeht und schrittweise das Beweisziel erreicht. Wir können dann auf einer *elementaren Ebene* den Spielzug mit der Formulierung einer Aussage und auf einer *systematischen Ebene* auf den Gewinn einer Partie gerichtete Strategien mit Theorien gleichsetzen. Wir können über die aus gespeicherten Erinnerungen aktualisierbaren Entscheidungen hinaus Strategien entwerfen, die unter der einen Voraussetzung, daß jede mögliche Information mit dem aus Spielregeln gebildeten allgemeinen Informationsschema übereinstimmt, Entscheidungen eindeutig zuordnen.[3]

Unter der Voraussetzung, daß der Objektbereich relationistisch

2 Emanuel Lasker, Die Philosophie des Unvollendbaren, Leipzig 1919, S. 133.

3 Vgl. I. V. Neumann u. O. Morgenstern, Spieltheorie und wirtschaftliches Verhalten, Marburg 1961. Drei Spieltypen repräsentieren verschiedene Modelle des Weltganzen:
1. Zufallsdeterminierte Verstandes- oder Geschicklichkeitsspiele, die durch partielle Differentialgleichungen beschrieben werden; 2. *gemischte Spiele,* die gegenseitige Invasionschancen implizieren, und 3. *strategische Spiele,* die Alternativen vorstellen.

strukturierbar ist, ist ein solcher Kalkül ein leistungsfähiges Sprachsystem, das insbesondere variable Größenbeziehungen und die wechselseitige Abhängigkeit statistischer Zeitreihen verdeutlichen kann. Die mit der historischen Schule der Nationalökonomie entstandene Kritik problematisiert diese funktionalen Zusammenhänge im Hinblick auf in Wirtschaftsplänen kodierte Dispositionen. Sie macht geltend, daß Kalküle beispielsweise Gütermengen und Preise mit Entscheidungen handelnder Subjekte in Beziehung setzen müssen.

»Wir nehmen dabei das Handeln als ein Umformen von Situationen in Anspruch. Diese Umformung einer Situation folgt einer Maxime und zwar im idealen (d. h. theoretisch relevanten Fall) derart, daß mit der Ausgangssituation und der Maxime des Handelnden die Endsituation festgelegt ist. Schließt die Ausgangssituation mehrere Personen ein, so kann die Endsituation als durch die Maximen aller Beteiligten bestimmt gedacht werden.«[4]

Theorien dieses Typus stützen ihre prognostische Fähigkeit nicht auf empirische Gleichförmigkeit, sondern auf die systematische Ableitung von Wahlhandlungen aus Maximen, deren Geltung sie voraussetzen. Sie fassen zweckirrationale Verhaltensweisen als Abweichungen von einem idealisierten Handeln auf, das als Maximierung einer Zielfunktion im Kontext von Präferenz- und Produktionsfunktionen beschrieben werden kann. Diese Beschreibung rechnet jedoch damit, daß Angebot und Nachfrage der einzelnen Teilsysteme kodiert und im Preis alle Informationen zusammengefaßt sind. Während der Preis einerseits die Rahmenbedingungen definieren soll, ist er andrerseits als Simultanbestimmung aller Variablen von ihnen abhängig.
Die Unsicherheit eines Gleichgewichts impliziert zudem vollständige Informationen und unendlich schnelle Reaktionen der Handlungseinheiten. Eine realitätsbezogene Analyse muß daher diese Implikationen zugunsten einer Analyse der Nachrichtenübermittlung und -verarbeitung, von Kapazitätsbeschränkungen und zeitabhängigen Anpassungsprozessen kritisch auflösen. Sie muß, mit anderen Worten, die Kategorie Rationalität als Zielerreichung unter bestimmten Einschränkungen explizieren und Verhalten auf ein bestimmtes Anspruchsniveau beziehen. Die

4 Jürgen von Kempski, Der Aufbau der Erfahrung und das Handeln, in: ders., Brechungen, Hamburg 1964, S. 295; vgl. auch ders., Zur Logik der Ordnungsbegriffe, in: H. Albert (Hrsg.), Theorie und Realität, Tübingen 1967.

elementare Theorie der wirtschaftlichen Entscheidung, deren Grundannahmen Gérard Gäfgen unter Annahme verminderter Rationalität formuliert, kennzeichnet die Situation durch einen »Kranz von verbundenen Bedingungen«: Aktor, Umgebung, Maxime und Wertsystem; Verhaltensprinzipien beschreiben die Art der Transformation: die ausgeführte Theorie stellt daher die Entscheidung als funktionale Beziehung dar, die jeder Situation eine Handlungsmöglichkeit zuordnet.[5] Sie zieht die Konsequenz daraus, daß die Kenntnisse der Folgen einer Wahl fragmentarisch und die Auswahl der Alternativen ebenso wie die Möglichkeiten des Individuums zur Informationsverarbeitung beschränkt sind.

Da bei einem widerspruchsvollen Zielsystem die Entscheidung nur rekonstruiert werden kann, sind die das Rationalitätsmodell bildenden Maximen auf ein als »richtig« unterstelltes Wertsystem bezogen, dessen substantielle Rationalität selbst zunächst nicht zur Diskussion steht.

»Substantielle Rationalität wird erst dann Gegenstand der Entscheidungstheorie, wenn es sich um Entscheidungen von sozialen Gebilden handelt, die durch Zusammenwirken der Mitglieder dieser Gebilde getroffen werden, denn dann müssen die Entscheidungen der einzelnen Mitglieder so organisiert werden, daß sie im Sinn der Ziele des Gebildes substantiell rational sind.«[6]

Aprioristische Begründungen unterstellen Rationalität und erklären widersprüchliches Handeln aus Verschiebungen im Wertsystem;[7] die Entscheidungstheorie versucht in der Rekonstruktion einer im Idealfall gemeinsamen Perspektive von Aktor und objektivem Beobachter Rationalität als einen Aspekt der Handlungen aufzunehmen und die Herausbildung von Wertmaßstäben selbst zu erklären. Während die unproblematisierte Aufnahme einer umfassenden Information die vollständige Voraussicht mit der Wahl eines objektiven Maximums verknüpft und von denkbaren Entscheidungen abstrahiert, die die Prognose modifizieren, bezieht die Prüfung subjektiv rationaler Entschei-

5 Vgl. Jürgen v. Kempski, Handlung, Maxime, Situation, in: Studium Generale, 1954; ders., Über die Einheit der Sozialwissenschaften, in: Zeitschrift für die gesamte Staatswissenschaft 112, 1956; Gérard Gäfgen, Theorie der wirtschaftlichen Entscheidung, Tübingen 1968; Günter Menges, Grundmodelle wirtschaftlicher Entscheidungen, Köln 1959.

6 Gérard Gäfgen, a.a.O., S. 27.

7 Vgl. Ludwig von Mises, Human Action, London-Edinburgh-Glasgow 1949.

dungen auch die Informationsprozesse ein: sie wendet Entscheidungsmaximen auf den »Wissensstand« und das Wertsystem selbst an. Anthony Downs hat es am Beispiel der politischen Entscheidungsfindung demonstriert, wenn auch mit einer Konsequenz, die in die Logik reiner Kalküle zurückführt: er beschreibt nämlich diesen Prozeß grenznutzentheoretisch als rationale Ausnützung knapper Mittel zur Beschaffung von Daten.[8]

Unter der Voraussetzung, daß falsche Informationen ausgeschlossen sind, wird eine Wahl möglich, wenn Ziele, Alternativen und Folgen von Entscheidungen bekannt sind. Downs übersetzt die Logik des Wählens in Einzelschritte, zwischen denen »Übermittlungskosten« entstehen – knappe Mittel, die von einer nutzenstiftenden anderen Verbindung abgezogen werden: (1) Nach einer Sammlung relevanter Informationen zu jeder Streitfrage werden diejenigen ausgewählt, die bei der Wahlentscheidung verwendbar sind; sie ermöglichen in der Regel umfassende Kenntnis der Alternativen und ihrer Konsequenzen. (2) Alle im Zusammenhang mit einzelnen Streitfragen gefundenen Einschätzungen werden zu einer »Nettobewertung« aller für die Wahl kandidierenden Parteien zusammengefaßt und mit anderen verglichen.

Da freilich der menschliche Verstand nur begrenzt aufnahmefähig ist und die Verarbeitung und Auswertung der Daten Zeit benötigt, ist faktisch die Anzahl der Informationen für eine Entscheidung begrenzt: aus dem ökonomischen Grundcharakter des Sichinformierens, der Knappheit der Mittel und dem begrenzten Zeithorizont, ergibt sich daher eine subjektive Aggregierung von Daten, die aus dem schon eingeschränkten Angebot spezialisierter Agenturen Informationen auswählt und interpretiert. Zwar gilt allgemein für jede Entscheidungsfindung der Ausgleich der Grenzkosten und -erträge: Investitionen in die Beschaffung von Daten erfolgen solange, bis der Grenzertrag der gesammelten Informationen ihren Grenzkosten gleich ist. Gleichwohl ist ein Prozeß »gezielter Aufmerksamkeit« (Downs) erforderlich, der sich auf differentielle Entscheidungsbereiche richtet und zu einem mit den eigenen Auswahlprinzipien und gesellschaftlichen Zielvorstellungen übereinstimmenden, in sich konsistenten System von Informationen führt.

---

8 Vgl. Anthony Downs, Ökonomische Theorie der Demokratie, Tübingen 1968.

Downs kennzeichnet damit eine abstrakte Wahlsituation, die die reine Ökonomik auf »Wirtschaften« analog überträgt, indem sie die Benutzung knapper Mittel zur Bedürfnisbefriedigung und die Verteilung gegebener Mittel auf alternative Zwecke untersucht. Die reine Ökonomik macht freilich deutlich, worauf diese Analogie beruht. Sie knüpft an eine physikalische Theorie an, die Prozesse in einer organisierten Folgeordnung untersucht und analysiert die Regeln der Organisation, um Ziele und Rückkoppelungsmechanismen zu kennzeichnen.

»Jede dieser Alternativen bedeutet bestimmte Erfüllungsgrade für die verschiedenen Ziele, so daß die Ziele um die Mittel konkurrieren. Dabei sind die Ziele nicht nur durch die sachliche Erfüllungsbegrenzung verbunden, sondern auch direkt, indem die Erfüllung eines Ziels die Bedeutung eines anderen Ziels steigern kann (Komplementarität) oder senken kann (Substitutivität der Ziele).«[9]

Das Anwendungsgebiet der *reinen Ökonomik* erstreckt sich daher auf alle Situationen mit begrenzten Erfüllungsmöglichkeiten der Ziele und einer Interdependenz ihrer »Wertigkeit«. Gäfgen versucht dieses Modell wirtschaftspolitisch auf das marktrelevante Verhalten der Haushalte, Unternehmen und Organisationen zu beziehen. Eine in dieser rationalen Dimension formulierte Theorie teilt freilich die erkenntnistheoretische Problematik eines deduktiv-analytischen Verfahrens, das konsequent zu einem von jeder Erfahrung abgehobenen Apriorismus führt – in der der Kalkül Geltung allein durch die Übereinstimmung mit dem Kanon formaler Logik gewinnt. Gäfgen zeigt jedoch, daß ein zunächst leerer Kalkül sinnvoll als reine *Logik der Entscheidung*, *deskriptive* oder *präskriptive* Theorie formuliert werden kann. Einerseits gibt er die logischen Implikationen rationaler Wahl an, andrerseits erklärt die Hypothese das beobachtbare Verhalten oder ist eine Wahlmaxime. In den engen Grenzen eines logisch wahren Modells versetzt sich der Beobachter entweder in die Situation des Aktors, rekonstruiert die Handlung gleichsam von innen her oder wendet eine aus eigner Erfahrung stammende Maxime auf einen idealtypischen Aktor an. Die Rationaltheorie als Konstruktion des ökonomischen Faktors erlaubt es daher nur, *Klassen von Handlungen* zu identifizieren. Adolph Lowe geht einen Schritt weiter und versucht, deren empirische Voraussetzung zu analysieren. Auf einer makrosoziolo-

9 Gérard Gäfgen, a.a.O., S. 46.

gischen Ebene ergibt sich aus definierten Zielen und einem Vorrat an Hilfsquellen per se kein Kriterium, wie ein Überschuß an Energie und Zeit auf materielle oder immaterielle Bedürfnisse aufgeteilt werden soll. Lowe führt daher einen differenzierten Bewertungsmechanismus ein. Auf einer ersten Stufe sind die absoluten *Bedürfnisse* situiert, von deren Erfüllung das Überleben abhängt. Auf einer zweiten Stufe treten jene *modalen Ziele* auf, die sich auf quantitative Entscheidungen beziehen; auf einer dritten Stufe schließlich jene *finalen Ziele*, die die modalen innerhalb bestimmter Freiheitsgrade determinieren. Die Handlungen folgen wechselnden Direktiven, die auf das praktische Wissen des Handelnden, auf wissenschaftliche Erkenntnisse und bruchstückhafte Erfahrung bezogen sind. Diese Erkenntnisse haben prinzipiell die Form von Erwartungen – sie substituieren wissenschaftliche Prognosen. Sie richten sich auf Regelsysteme, nach denen die Zuordnung von Einsatzleistungen und Produktionsträgern erfolgt. Auf die Kenntnisse technologischer Regeln ist die Umwandlung natürlicher Rohstoffe in gebrauchsfertige Erzeugnisse ebenso angewiesen wie die Reproduktion verbrauchter Produktionsfaktoren. Produktivität hängt von einer festgelegten Folge technologisch adäquater Entscheidungen ab, die die Handlungen zahlreicher Individuen innerhalb jeder Produktionsstufe und zwischen aufeinander folgenden Produktionsstufen bestimmen. In der Arbeitszerlegung verbinden sich technische und soziale Regeln, Ergebnisse der herrschenden politischen Organisation und der kulturellen Tradition.[10] Lowe versucht also die technologischen Regeln mit sozialen Verhaltensregeln zu verknüpfen, die in ein System von Sanktionen eingebettet sind.
Die Gesamtversorgung ist dann gesichert, wenn die Mikroziele mit den herrschenden Makrozielen und Optimierungskriterien vereinbar sind. Diesen Aspekt politischer Organisation und Herrschaft verfolgt Lowe jedoch nicht weiter. Er begreift die nationalökonomische Theorie vielmehr als Teil von Technologien und sozialen Modellen der Mittelbeschaffung.

»Auch diese Verhaltensweisen stehen letzten Endes im Dienst jenes komplexen technologischen Prozesses, der durch die Arbeitsteilung entsteht. Aber ihre unmittelbare Funktion ist Versorgung mit materiellen Mitteln durch Manipulierung von Menschen. Sie erfüllen diese Funktion in dem Umfang, in dem es jedem einzelnen Glied

10 Adolph Lowe, Politische Ökonomik, Frankfurt/M. 1968, S. 36.

einer Wirtschaftsgesellschaft gelingt, die anderen Glieder zu veranlassen, sich so zu verhalten, als ob sie dinghafte Mittel für sozial anerkannte Zwecke wären, wobei jeder zugleich die menschlichen, d. h. spontanen Handlungen des andren anerkennt.«[11]

Lowe diskutiert natürlich Knappheit und niedrige Produktivität, administrative Maßnahmen und institutionelle Einflüsse als »dynamische Milieufaktoren«, die ein Motivationssystem Wirtschaft konstituieren, das dann freilich gleichsam unabhängig betrachtet werden kann. Wenn der institutionelle Rahmen des Systems festliegt (das Wachstum der Bevölkerung bestimmt die Gesamtnachfrage und das Gesamtangebot an Produktionsfaktoren; Erfindungen konstituieren neue Produkionsverfahren), können intersektorale Modelle entwickelt werden.

Die Sektoren bestehen aus elementaren Einheiten wie Unternehmen und Haushalten oder sozialen Kategorien. Das Modell legt den logischen Rahmen zur Lösung folgender Probleme fest: Verbindung des Wachstums der Untereinheiten im Gesamtprodukt, operationalisiert in der stetigen Vergrößerung eines ausgewählten Indikators und Beziehungen zwischen der Produktion der Untereinheiten.[12]

Durch Interventionen weicht die gewünschte von der »spontanen« Wachstumsrate ab; prinzipiell ist sie eine Funktion der Investitionen, die entweder eine Steigerung des Kapitals bei konstanten Koeffizienten oder eine Kapitalsteigerung und eine Veränderung der Ergiebigkeitskoeffizienten ergeben. So wurden bei der in Frankreich praktizierten Projektion die Ziele aufgrund allgemeiner Hypohesen gewählt. Auf allen Stufen ist der Endbedarf determinierender Faktor der Produktion; der private Verbrauch ergibt sich aus der Einkommenselastizität, der Staatsverbrauch aus einer Schätzung der Bedürfnisse einer wachsenden Bevölkerung. Aus der sich bei einer Einkommenssteigerung ergebenden Nachfrage kann bei jeweiligen konstanten Preisen die entsprechende Produktionssteigerung berechnet werden. Input-Output-Tabellen verbinden die Produktion der einzelnen Sektoren mit dem Arbeitseinsatz und den Zwischenlieferungen, aus denen die Investitionen berechnet werden können. Diese Grundberechnung variiert mit der Höhe einer dezisionistisch festgelegten Wachstumsrate, an die alle Vorschläge inner-

11 Adolph Lowe, a.a.O., S. 42.

12 Vgl. François Perroux, Frankreichs Wirtschaftsprojektion, Berlin 1964; Günther Heidtkamp, Planification in Frankreich, Köln 1966.

halb gewisser Toleranzbereiche gebunden sind. Die Beziehungen der Sektoren untereinander sind kaum geklärt. Ergebnisse konjunktureller Anstöße, Veränderungen der Auslandsnachfrage oder der Ersparnisse sind ebensowenig bekannt, wie die »Auswirkungszeit« korrigierender Maßnahmen. Modelle intersektoraler Beziehungen, in die periodisch Gleichgewichtsrechnungen eingehen, sind zudem an die Grundbedingungen nur schwacher und kurzer konjunktureller Rückschläge geknüpft.

Die Verbindungen der Sektoren können numerisch durch eine Matrix ausgedrückt werden. Der input ergibt sich aus der Wertsteigerung (Löhne und Gewinne) und den Zwischenlieferungen; der output erscheint als die Summe der Verkäufe an anderen Sektoren und Endverbraucher.

Die Sektoren bilden einen geschlossenen Kreislauf, in dem sich Nachfrage und Angebot ausgleichen. Kann sich ein erhöhtes Angebot von A nicht im Kreislauf ausgleichen, verbleiben drei Strategien: Preissenkung bei elastischer Nachfrage; Einkommenübertragung; Auflösung des Kreislaufs und externer Absatz.

Im *Erweiterungseffekt* bewirkt die Steigerung des Wachstums von p_1 eine von p_2, ohne die spezifische Produktivität zu verändern. Im *Produktivitätseffekt* bewirkt die Steigerung des Wachstums von p_1 eine Steigerung der Produktivität von p_2. (Eine Industriegruppe i_1 vermindert konkurrierend den Absatz von i_2 und zwingt zur Rationalisierung); im Grenzfall scheidet p_2 aus dem Wirtschaftsprozeß aus.[13]

Gleichwohl haben sich diese Vorschläge aus den Grenzen des Modells rationaler Wahl nicht völlig gelöst: grundsätzlich läßt sich nur das Verhalten in Situationen ohne gleichwertige Alternativen verläßlich bestimmen; von den Annahmen über das Wertsystem, den Besonderheiten der Situation und die Implikationen subjektiver oder objektiver Rationalität kann es entscheidend modifiziert werden.

Aus dieser Verlegenheit ziehen kreislauftheoretische Untersuchungen eine, wenn auch unzureichende Konsequenz: sie machen makroökonomische Größen und deren Relationen zum Ausgangspunkt der Untersuchung. Bestimmungsgleichungen definieren die zu untersuchende Größe durch ihre Komponenten; struk-

---

13 Vgl. Sidney Schoeffler, The Failures of Economics, Cambridge 1955. Schoeffler greift auf »cross-sectional laws« zurück, welche die Verbindung zu anderen Disziplinen herstellen, um den Wertspielraum der Variablen zu bestimmen.

turelle Relationen als technologische und institutionelle Gleichungen bringen die wechselseitigen Beziehungen zum Ausdruck. Sie bilden makroökonomische Systeme, für die die Konsumfunktion, die das Volkseinkommen Y in den Konsum C transformiert, als Beispiel steht.[14] Die an den definitorischen Zusammenhang von Bestimmungsgleichung gebundene Konstruktion aggregierter Größen abstrahiert freilich von den wesentlichen Bestandteilen eines Regelungssystems: es fehlen die Führungs- und Störgrößen, die Abweichungen von einem zielorientierten Anpassungsverhalten eindeutig bestimmen könnten. Bei der Aggregation selbst entfallen die Informationsbeziehungen zwischen den einzelnen Entscheidungseinheiten selbst. Das System besitzt weder Informationsquellen noch Kodierungsspeicher. Eine systemextern bestimmte Meßgröße, welche als Führungsgröße fungieren könnte, ist durch die Gleichgewichtsbedingungen ersetzt. Den in Definitionsgleichungen übersetzten logischen Bedingungen wird Soll-Wert-Charakter beigelegt, sie werden zu einem immanenten Maßstab des Systemverhaltens. Art und Richtung des Zeitverhaltens dieser Systeme können damit nur aus ihrem eignen definitorischen Zusammenhang erklärt werden.
Erst die kybernetische Untersuchungsmethode erlaubt es daher, umweltoffene, manipulierbare Systeme zu analysieren, Führungsgrößen auf die Motivationsstruktur und Zielvorstellungen der Handlungsträger eines Systems zu beziehen.
Diese Perspektive erlaubt es, alle Bereiche der »Wirklichkeit« als geregelte Systeme mit positiven und negativen Rückkoppelungen zu beschreiben: in dem einen Fall wirkt eine Größe Xa auf eine Größe Xe verstärkend oder abschwächend. Festwertregler organisieren die Rückwirkung innerhalb eines Intervalls; Folgeregler definieren für die Größe Xa einen bestimmten Spielraum.[15] Georg Klaus hat es am Beispiel des Marktes erläutert.

---

14 Ein statisches Modell ist die von Keynes entworfene Konzeption des Multiplikators. Die Definition (Y ist P + I) bestimmt die Entstehung des Volkseinkommens und die Produktion von Konsum- (P) und Investitionsgütern (I); eine weitere beschreibt die Verwendung als Verbrauch von Konsumgütern und Sparen (Y ist gleich C + S); die Gleichgewichtsbedingungen sind: P ist gleich C und I ist gleich S; strukturelle Gleichungen sind die Konsumfunktion (C ist gleich a · Y; oder die Sparfunktion (S ist gleich [1 – a] Y).

15 Vgl. Georg Klaus, Kybernetik in philosophischer Sicht; vgl. auch dazu W. Ross Ashby, An Introduction to Cybernetics, London 1965, und ders., General Systems Theory as a New Discipline, in: General Systems III, 1965; und Gerhard Kade, Dirk Ibsen und Reinhard Huijer, Modell-

Eingangsgrößen sind Angebot und Nachfrage. Resultate der Wirkung beider Größen ist der Preis, dessen Steigen die Produktion anregt und das Angebot erhöht: der Preis ist mit dem Angebot rückgekoppelt: bei steigendem Preis sinkt auch die Kaufmotivation: die Preiserhöhung ist negativ mit der Nachfrage gekoppelt.

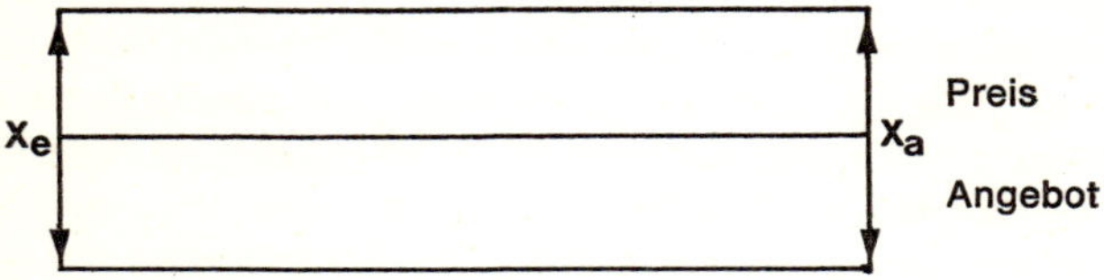

Wenn alle Ausgangsgrößen von unkontrollierbar vielen Eingangsgrößen beeinflußt werden, kompensiert die Beschränkung auf die Regelungen einer wesentlichen Größe die Wirkungen der Zufallsgrößen, denn die Kenntnis unendlich vieler Ursachen ist für die *praktische* Beherrschung eines Systems überflüssig. Während ein *eidetischer* Sinn für die Eingangs- und Ausgangsgröße bedeutsam ist, wird die Mehrzahl der vorgeschlagenen Modelle durch einen *operativen Sinn* konstituiert: mit »geistigen« werden die Voraussetzungen »technischer« Modelle geschaffen, welche die Fragen des Materials, des Energieflusses und des Verhaltens im Interesse einer bewußten und folgenreichen Anwendung untersuchen.

Die Regelung nimmt daher von einer »relativen Wahrheit genügend hoher Ordnung« ihren Ausgang, welche die Kenntnis über die Intervalle des wesentlichen Faktors und die Regelung der Ausgangsgrößen einschließt.[16]

Auf dieser Stufe der Analyse von Subsystemen wird Macht zum generalisierten Steuerungsmittel, das der Durchsetzung gesamtgesellschaftlicher Programme dient. Gleichzeitig wird die Schwä-

---

analyse ökonomischer Systeme, Jahrbücher für Nationalökonomie und Statistik 1, 1968.

16 Die Reproduktionsschemata des »Kapital« sind ein instruktives Beispiel für Rückkoppelung. Abteilung I (Produktion – S_1) und Abteilung II (Konsumtion – S_2) setzen sich aus den Elementen $P_1 = c_1 + v_1 + m_1$ (S_1) und $P_2 = c_2 + v_2 + m_2$ (S_2) zusammen; die Reproduktion muß der Bedingung $c_2 = v_1 + m_1$ genügen. Abteilung II liefert Abteilung I die zur Reproduktion des variablen Kapitals und für die Konsumtion der Kapitalisten notwendigen Mittel; Abteilung I ersetzt der Abteilung II das verbrauchte konstante Kapital, von dem die Reproduktion beider abhängt; die outputs des einen Systems sind die inputs des anderen und umgekehrt.

che der kybernetischen Analogie deutlich. Der Anspruch einer so begründeten Systemanalyse geht ja dahin, mit wenigen einheitlichen Konzepten Aktionspfade für umweltoffene Systeme ausarbeiten zu können. Die kybernetische Rückkoppelung eröffnet die Perspektive auf eine Handlungstheorie, die ihrem Anspruch nach das zielorientierte Problemlösungsverhalten in einer kontinuierlichen Variation seiner Momente umfassend beschreibt. Die metatheoretischen Arbeiten der Sozialkybernetik haben jedoch zur Klärung ihres Grundkonzepts von Steuerung und Selbstregulierung wenig beigetragen.[17] Sie tendieren vielmehr zu einer Reifizierung analytischer Konzepte, die die Explikation nur teilweise interpretierter Kalküle durch soziologische Rahmenbedingungen nicht reflektiert und daher eine instrumentell definierte Selbstregulierung als Emanzipation mißversteht. Dieses Mißverständnis kennzeichnet auch die komplexen Modelle einer politisch reinterpretierten kybernetischen Systemsteuerung.

Die Wirtschaftskybernetik sucht in dynamischen Makromodellen und in der graphischen Darstellung durch Blockschaltbilder dem »Komplexitätsgrad« industriell entfalteter Gesellschaftssysteme Rechnung zu tragen.[18] Die kybernetische Informationstechnik reflektiert jenen Prozeß, in dem mit der Selbstkontrolle eigener Funktionen durch automatische Maschinen zu der alten Dualität der Reflexion ein intelligenter, Informationen erzeugender Prozeß tritt, der die Subjektivität des Bewußtseins in technischen Systemen nachahmt, die als verfeinerte Modelle der Außenwelt interpretiert werden können.[19] Abraham Kaplan hat diese »Parallelität« hervorgehoben.

»Working with these concepts of communication and control, cybernetics becomes relevant to the study of man because *human behavior is paralleled in many respects by the communications machines.* This parallel is no more metapher, but consists in a similarity of structure between the machine processes and those of human behavior.

---

17 Vgl. Dieter Senghaas, Sozialkybernetik und Herrschaft, in: Atomzeitalter 7/8, 1967. Zu der These, daß auch mit der Interpretation kybernetischer Kalküle durch soziologische Mikrotheorien die Systemhypothesen nicht geklärt sind, vgl. Karl-Dieter Opp, Kybernetik und Soziologie, Neuwied/Berlin 1970.

18 Zur intersektoralen Bilanzierung vgl. Wassily Leontief, The Structure of American Economy, New York 1941.

19 Vgl. Georg Klaus, Spieltheorien in philosophischer Sicht, Berlin 1968; ders., Kybernetik in philosophischer Sicht, Berlin 1961.

The Darwinian continuity between man and the rest of nature has now been carried to completion. ... With communication and control as the key a similarity of structure can also be traced between an individual ... and a society ...«[20]

Gleichwohl stimmen die progressive Objektivation subjektiver Reflexion und die fortschreitende Subjektivierung eines Elektronengehirns nicht ohne Rest überein: die simulierten Bewußtseinsleistungen sind nur Analogate des Denkens, denn die kybernetische Maschine umfaßt zwar einen durch Programmierung festgelegten Funktionszusammenhang, der Führungs- und Störgrößen definiert, ohne jedoch die Programmierung selbst kritisch reflektieren zu können.[21]

Die *politische Kybernetik* formuliert daher – über die leere Pragmatik mathematischer Kalküle hinausgehend – soziologische Modelle der Informationsverarbeitung in Verbindung mit einer bestimmten Rekonstruktion der wissenschaftlichen Entwicklung selbst: die *philosophische Phase* definiert Grundannahmen, die das Sammeln von Fakten leiten und legt das Interesse fest, welches die *empirische,* durch permanente Revision gekennzeichnete Phase realisiert; eine neue *philosophische* Phase bildet schließlich neue analytische Werkzeuge aus, die, einer Formulierung von Karl Deutsch entsprechend, operational und produktiv zugleich sein und sich in »wiederholbaren physischen Operationen« bestätigen müssen und zu neuen Beobachtungen führen. Dieser Prozeß wird durch symbolische Modelle vermittelt, in denen die selektiven Interessen des Erkennenden mit den Eigenschaften der Situation und der Meßoperation selbst verschmelzen. Sie zeichnen Daten auf und verbinden organisatorische und heuristische Funktionen, Messungen und Voraussage: die Technologie des Denkens wird zum Fortschritt der Wissenschaft.

»Schließlich wächst auch die Reichweite und Wirksamkeit unserer Symbole und Symbolsysteme mit unserer Fähigkeit, die uns verfügbaren Datenmengen auszuwählen und zu abstrahieren, zu speichern und wieder verfügbar zu machen, zu analysieren und neu zu ordnen, auf Voraussagen auszudehnen, zur Kommunikation bereit zu halten,

---

20 Abraham Kaplan, Sociology Learns the Language of Mathematics, Commentary 14 (1952), S. 274 (Hervorhebung von mir, C. R.).

21 Niklas Luhmann, Zweckbegriff und Systemrationalität; vgl. auch Gotthard Günther, Das Bewußtsein der Maschinen. Eine Metaphysik der Kybernetik, Krefeld und Baden-Baden 1957; und ders., Kritische Bemerkungen zur Wissenschaftstheorie der Gegenwart, in: Soziale Welt, 3/4, 1968, S. 355.

durch operationale Tests zu verifizieren und in unsere Praxis anzuwenden.«[22]

Das gemeinsame Ziel, eine Summe interner Entscheidungen, schirmt das System gegenüber neuen Daten ab. Den Bereich von Staat und Politik kennzeichnet ein Strukturmuster relativ verfestigter Präferenzen und Hemmungen, die eine soziale Gruppe aus früheren Erfahrungen zieht. Erst auf dieser Stufe kann Herrschaft im Kontext der Modelle formal als das Ausmaß gekennzeichnet werden, in dem Personen oder Organisationen ihren Zielsetzungen gemäß erfolgreich handeln. Ein darauf bezogener Begriff des Konflikts ist prinzipiell meßbar: der »wahrscheinliche Grad der Unvereinbarkeit zweier Programme in der Zukunft und die wahrscheinlichen ›Kosten‹, die bei der Vermeidung eines Zusammenstoßes« entstehen.[23]

»Wenn wir Informationen messen können, und sei es auch nur in grober Annäherung, dann können wir auch den Zusammenhalt von Organisationen oder Gesellschaften messen, und zwar an ihrer Fähigkeit, Informationen mit kleineren oder größeren Verlusten oder Verzerrungen zu übertragen. Je geringer die Verluste oder Verzerrungen und die beigemischten irrelevanten Informationen sind, desto leistungsfähiger ist ein Kommunikationskanal oder eine Kommandostruktur (Befehlskette).«[24]

Deutsch rekonstruiert den Denkvorgang als siebenstufigen Prozeß. Die aufgenommene Information wird zunächst in Symbolen verschlüsselt und in Systemen gespeichert. Auf einer nächsten Stufe wird ein Teil abgespalten, und zusammen mit größeren Informationsmengen aus dem Gedächtnis in die Erinnerung zurückgerufen. Die erinnerten Einzelheiten werden zu neuen Mustern zusammengefügt, die weitere Abstraktionsmöglichkeiten bieten: das gewonnene Strukturmuster bleibt erhalten, während

22 Karl Deutsch, Politische Kybernetik, Freiburg 1966, S. 47. »Formalen« und »materialen« Modellen entsprechen unterschiedliche Stufen der Abstraktion; sie reichen von der losen Verknüpfung mit der Alltagserfahrung zu mathematischen Funktionen, die in der Regel quantitative Voraussagen erlauben. Zur Beurteilung der Aussagekraft von Modellen gibt Deutsch drei Kriterien an, die freilich selbst noch der Interpretation bedürfen: Relevanz, Ökonomie der Darstellung und prognostische Fähigkeit.

23 Ähnlich beschreibt Perroux die integrative Wirkung eines gemeinsamen Ziels, das die »Ausgaben des öffentlichen Zwangs« vermindert. Vgl. auch die Formulierungen über das Reflexivwerden von Lernprozessen bei Niklas Luhmann, Reflexive Mechanismen, in: Soziale Welt, 1/1966.

24 Karl Deutsch, Politische Kybernetik, a.a.O., S. 127.

das ursprüngliche ausgelöscht wird; auf einer letzten Stufe schließlich wird die Informationseinheit entweder im Gedächtnis gespeichert oder in praktische Tätigkeit übersetzt.

Diese Universalisierung der kybernetischen Perspektive beschreibt Bewußtsein als Ansammlung interner Rückkoppelungsvorgänge, die »sekundäre« Nachrichten in Umlauf halten – Nachrichten also, die aus der Wechselwirkung eines Systems mit der Außenwelt entstehen. Wenn diesem Muster auch das durch Dokumentationszentren konstituierte Bewußtsein sozialer Organisationen folgt, das ausgewählt und kontrolliert, ist ihm analytisch ein materieller Kostenfaktor eigentümlich, der sich aus der Beanspruchung der Anlagen und aus Zeitverlusten zusammensetzt; dann wird es in die Lage versetzt, funktionale Kriterien entwickeln zu können, mit denen sich mögliche Strukturmuster, Grenzen und Unstetigkeiten von Bewußtseinsprozessen und der Bestanderhaltung von Systemen diskutieren und in sich selbst regulierenden Rückkoppelungsnetzen überprüfen lassen.

Die bis in die Dimension einer politischen Kybernetik verfolgte Soziologisierung strategischer Kalküle zeigt, daß die Rationaltheorie in der Konstruktion des ökonomischen Faktors Klassen von Handlungen festlegt. Sie beschreibt das marktrelevante Verhalten im Rückgriff auf eine als *gesamtgesellschaftliches Belohnungssystem* gedeutete Dimension von Arbeit und Herrschaft. Die kybernetische Analogie begreift Macht als generalisiertes Steuerungsmittel und als Effizienz erfolgreichen Handelns. Versuche, die Reifizierung analytischer Konzepte zu vermeiden und Kategorien der Systemsteuerung mit der Explikation soziologischer Rahmenbedingungen zu verknüpfen, führen zur Formulierung funktionaler Kriterien.

In bezug auf diese verschiedenen Momente des »Systemverhaltens« können die Kategorien Rationalität und Herrschaft mit der Intention einer gesamtgesellschaftlichen Analyse nun in vier Thesen erläutert werden.

1) In einem Modell, das aus Biologie und Mechanik das Merkmal der zielgerichteten Organisation und nach Kriterien der Ophelimität handelnde Tauscheinheiten entnimmt, werden die Richtungen von Marktprozessen in der strategischen Dimension von Aktionsprinzipien analysiert.

2) Eine Kontrollinstanz setzt das Makroziel und leitet aus ihm Funktionsprinzipien nach dem Prinzip der Zieladäquanz ab.

3) Vorausgesetzt, daß die technische Effizienz nicht unter ein Niveau fällt, das ein Minimum der Gesamtversorgung garantiert, eröffnet sich oberhalb dieser Schwelle ein wachsender Umkreis »sozialer« Kriterien. Eine Theorie kontrollierter Wirtschaftssysteme muß daher die Mittel bestimmen können, die zur Erreichung eines gegebenen Ziels eingesetzt werden, die Steuerung des Allokationsprozesses durch Regulierung der Faktor- und Güterpreise ermöglichen und den »Monismus des Makroziels« durch einen Pluralismus möglicher Produktions- und Distributionsoptima ersetzen – sie muß in eine politische Ökonomik übergehen.
4) Diese politische Ökonomik kann programmatisch als eine an den Ergebnissen der instrumentalen Analyse ausgerichtete Funktionskontrolle entworfen werden, die drei Anforderungen untersucht: Auf einer *politischen Ebene* werden ein Makroziel und die es qualifizierenden Kriterien definiert; auf einer *wissenschaftlichen Ebene* wird eine instrumentale Ausarbeitung des Systempfades geleistet, der auf einer *administrativen Ebene* kontrolliert werden kann.
Die Einlösung dieses Programms diskutiere ich an drei Lösungsstrategien: für sie ist die Kritik mechanistischer Interpretationen charakteristisch, die Wirtschaftstätigkeit als Ausgleich von Gütermengen konstruieren; sie stellen den Versuch dar, organisierte Kalküle in einem Horizont »sozialer« Determinanten zu entwickeln.

2.1 Leit- und Folgesektoren – die Logik der Asymmetrie

Die Beschreibung der Wirtschaftstätigkeit als kooperativen Konflikt hat die Theorie der monopolistischen Konkurrenz angedeutet.[1] Sie ist ihrem Anspruch nach eine gleichsam um eine Soziologie organisierter Interessen erweiterte reine ökonomische Theorie, welche die Aspekte des strategisch verformten Marktgleichgewichts aufnimmt. Die Wirtschaftssubjekte passen gegenseitig Präferenzsysteme und Verhaltensweisen an und versuchen gleichzeitig, sie durch Machtausübung zu verändern; komplexe Einheiten legen die Variablen der Maximierungspläne der Untereinheiten fest.

Die von Perroux entwickelte und über seine eigenen Intentionen hinaus interpretierbare Theorie der Leit- und Folgesektoren ist dafür ein Beispiel: das strategisch verformte Marktgleichgewicht kann nämlich nicht nur als technologisch verursachte Ungleichheit sondern auch als Herrschaftsbeziehung aufgefaßt werden. Der Tausch ist abgelöst durch verschleierte oder offene Beziehungen zwischen »dominants« und »dominées«, die sich im Weltmaßstab wiederholen.[2] Perroux gewinnt den Begriff der Domination zunächst anthropologisch, versucht jedoch, ihn marktsoziologisch zu interpretieren.

„Les hommes étant profondément inégaux sous tous rapports, la lutte économique élémentaire prend les formes d'une domination par la conquête, éventuellement suivie d'une domination par l'oppression. Dans l'une et l'autre, est engagée une dépense de contrainte en vue d'obtenir un résultat économiquement avantageux.“[3]

---

1 Vgl. beispielsweise R. Triffin, Monopolistic Competition and General Equilibrium Theory, Cambridge 1941.

2 Vgl. François Perroux, L'économie du XXème siècle, Paris 1964; Fritz Neumark, Gedanken zur Allgemeinheit der Wirtschaftstheorie, in: ders., Wirtschafts- und Finanzprobleme des Investitionsstaates, Tübingen 1961.

3 F. Perroux, L'économie ..., a.a.O., S. 84.
Da die Menschen in jeder Hinsicht prinzipiell ungleich sind, nimmt der

Staatsgebiete können in dieser Perspektive als inhomogene Aktivitätsfelder aufgefaßt werden, die sich nach Wachstumszentren und Zonen der Rückbildung differenzieren.

»Une zone A est dite active quand elle exerce sur une zone B un effet irréversible (d'une irréversibilité de principe ou de degré). La zone B subit l'effet sans réaction ou sans réaction d'une intensité ou d'un degré suffisants pour la correction ou la compensation de l'action initiale. Les relations d'influence de A sur B et de B sur A ne sont pas symétriques.«[4]

Zur Analyse der Entwicklungsbedingungen für industrielle Kräftezentren führt Perroux den Begriff der Antriebseinheit ein; sie entwickelt sich durch die technologische Konzentration von Produktionsmitteln aus einem System, in dem Arbeitskraft und Kapital an die unmittelbaren Produzenten gebunden sind. Noch die reine Konkurrenz folgt dem Muster einer Anpassung ohne Strategien.

»La concurrence est l'exercice d'un effet de domination toujours menacé et toujours révisable dans le cadre de règles du jeu qui tendent à assurer la création et la sélection.«[5]

Eine Firma wird zur Antriebseinheit, wenn sie auf andere Einheiten Einflüsse ausüben kann,

»welche den Umfang dieser letzteren vergrößern, deren Strukturen verwandeln, deren Organisationstypen verändern und dadurch auch bei anderen Firmen wirtschaftliche Fortschritte erzeugen oder fördern.«[6]

---

elementare ökonomische Kampf die Formen einer Herrschaft durch Eroberung an, die möglicherweise von Herrschaft durch Unterdrückung gefolgt wird. Im Hinblick darauf, ein ökonomisch vorteilhaftes Resultat zu erzielen, ist in dem einen und anderen Fall Zwang impliziert.«

4 F. Perroux, L'économie . . ., a.a.O., S. 33; vgl. auch Seite 9 ff.
»Eine Zone A wird aktiv genannt, wenn sie auf eine Zone B einen prinzipiell oder dem Ausmaß nach unumkehrbaren Einfluß ausübt. Die Zone B unterwirft sich diesem Effekt ohne Reaktion oder ohne eine Reaktion, die die anfängliche Einwirkung kompensieren kann. Die Einflußlinien von A nach B und B nach A sind nicht symmetrisch.«

5 François Perroux, L'économie . . ., a.a.O., S. 106.
Oxford 1952.
»Die Konkurrenz besteht im Ausüben eines Herrschaftseffekts, der im Rahmen der Spielregeln gefährdet und jederzeit revidierbar ist, die sein Entstehen und die Auswahl bestätigen.«
Vgl. auch dazu J. Steindl, Maturity and Stagnation in American Economy,

6 François Perroux, Feindliche Koexistenz, a.a.O., S. 291.

Die Erschließung neuer Energiequellen und die Anhäufung von Anlagekapital vergrößern die Produktionseinheiten. Die Firma kontrolliert die ökonomischen Aktivitäten einer Region, eines abstrakten ökonomischen Raumes, traditionell gesprochen eines Marktes.
Die Struktur dieser Makroeinheit ist durch die Zuordnung der Pläne der einzelnen Einheiten gekennzeichnet. Firmen können diese Strategien entsprechend ihrer Zielfunktion wählen; müssen jedoch externe Effekte berücksichtigen – nicht-intentionale Nebenfolgen außerhalb des aus Informationen und Normen gebildeten Handlungsschemas, die auf divergierende Interessen zurückgehen. Ein Leitungsmechanismus ist in der Regel vorgeschrieben und bildet zugleich ein Optimalkriterium, das seinerseits auf die Kongruenz mikro- und makroökonomischer Aktivität angewiesen ist.

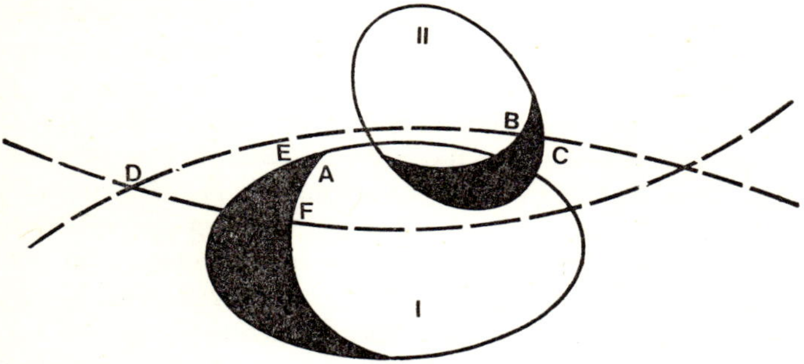

Die beiden unterbrochenen Linien bezeichnen den Wirkungskreis der Wirtschaftssubjekte; sie grenzen irrelevante Effekte aus. A B C gehen in die Kostenfunktion von I, D E F in die Kostenfunktion von II ein. Wirksamkeit und Transparenz der Effekte hängen von der Kostenrechnung, Ertragslage und Technologie des Unternehmens ab.

Medien externer Effekte sind natürliche und menschliche Ressourcen und institutionelle Rahmenbedingungen.[7] Auf dieser Stufe kann Macht als spezifische Form der Steuerung eines kybernetischen Systems, die in der Regel auf einem Energie- oder Informationsfluß beruht, beschrieben werden. Georg Klaus unterscheidet fünf Komponenten: zur *Machtgrundlage* gehören alle Hilfsquellen, zu den *Machtmitteln* die spezifischen Aktionen;

7 Vgl. dazu E. Altvater, Gesellschaftliche Produktion und ökonomische Rationalität, Frankfurt 1969.

der *Machtbereich* bezieht sich auf die Zahl der Mittel, wohingegen *Machtfülle* die Wahrscheinlichkeit bezeichnet, mit der B von A gewünschte Handlungen ausführt, *die Ausdehnung* der Macht ist durch die Zahl der abhängigen Systeme charakterisiert. In diesem Rahmen ist eine vektorielle Formulierung möglich. Für beide Systeme können Zielfunktionen der Machtkosten aufgestellt werden: die Macht von A ist um so größer, je geringer die Kosten sind. B kann mit anderen Worten die Machtausübung von A mit so hohen Kosten belasten, daß sie »unrentabel« wird.[8]

Diese Ausarbeitung und Anwendung logisch äquivalenter Konzepte, wie sie auch das Programm der Theorien kognitiver Dissonanz und elementaren Sozialverhaltens kennzeichnen (vgl. S. 71 ff.), gründet sich noch auf die grenznutzentheoretische Betrachtung des Austauschs von Gütern: Gleichgewicht besteht bei wertgleich erachteten Tauschobjekten. Diese Hypothesen qualifizieren jedoch Verhaltensstrategien nicht. Perroux bezieht sie daher auf eine Logik der Asymmetrie.

Für seine Analyse isoliert Perroux einen »Entwicklungspol«, dessen Wachstum in einer »trägeren« Umgebung erfolgt: es wird nicht durch die Zunahme schon vorhandener Nachfrage veranlaßt, die sich gleichzeitig auf alle produzierenden und anbietenden Einheiten bei freier Konkurrenz verteilt, sondern durch den die anderen Firmen weiter bewegenden Antrieb eines Großunternehmens, das mit ausgewählten Firmen eines zunächst homogen vorgestellten Wirtschaftsraums den Austausch aufnimmt; jetzt

> »beginnt ein nicht gleichwichtig verteilter Verkehr, ein nicht kompensierter Strom von Gütern, Dienstleistungen, Kapitalien zwischen dem Großunternehmen und diesen von ihm ausgewählten Firmen zu fließen. Der Austausch .. ist größer als der Austausch aller dieser kleinen Firmen untereinander.«[9]

Struktur und Größe der Kleinfirmen ändern sich mit den wechselnden Formen und Größen von Angebot und Nachfrage.

> »Un pôle de développement est un ensemble d'unités motrices qui exerce des effets d'entraînement à l'égard d'un autre ensemble éco-

---

8 Diesem Muster folgen Abschreckungsstrategien. Vgl. zum Beispiel Dieter Senghaas (Hrsg.), Friedensforschung und Gesellschaftskritik, München 1970.

9 François Perroux, Feindliche Koexistenz, a.a.O., S. 296; vgl. auch ders., L'économie . . ., a.a.O., S. 169.

nomiquement ou territorialement défini. Ces effets d'entraînement viennent de ce que l'ensemble moteur abaisse les prix et les coûts des produits et des services, augmente les flux de biens échangés et en suscite de nouveaux, déstabilise les anticipations des producteurs et des consommateurs à partir d'un état initial."[10]

Nach der oben genannten Hypothese von Perroux besteht die Umwelt des Großunternehmens nicht aus einer territorial begrenzten Volkswirtschaft, sondern aus dem Wirtschaftsraum dessen, der dieses Zentrum direkt oder indirekt durch Käufe, Kredite und Aufträge kontrolliert.

Der Effekt der Domination besteht darin, daß eine ökonomische Einheit A einen asymmetrischen Einfluß auf die ökonomische Einheit B ausübt; dieser kann aus einer Veränderung des Umfangs wie der Struktur bestehen: die dominierende Einheit finanziert die Nachfrage, erwirbt Beteiligungen oder nimmt auf »centres financiers ou politiques« Einfluß; im Rahmen einer Marktstrategie kann A diesen Einfluß planen.

»L'effet du domination, *intentionnel ou non,* est une influence dissymétrique ou irréversible. Sa mesure tient dans l'avantage extérieur au contract ou la marge d'indétermination introduite par comparaison à l'équilibre de l'échange pur. Ses composantes sont *la force contractuelle de l'unité,* sa dimension et son *appartenance à une zone active* de l'économie. Son action s'exerce directement ou par intermédiaire.«[11]

Da Struktur und Preisniveau des Gleichgewichts durch die dominierenden Einheiten bestimmt werden, ist eine Anpassung

---

10 François Perroux, L'économie . . ., a.a.O., S. 604; zur empirischen Überprüfung dieses Konzepts vgl. François Perroux, L'économie des Jeunes Nations, Paris 1962.
»Ein Entwicklungspol ist eine Gesamtheit ›bewegender‹ Einheiten, die in bezug auf eine andere ökonomisch oder territorial definierte Gesamtheit gewaltsamen Einfluß ausüben. Er rührt nämlich daher, daß die bewegende Einheit Preise und Kosten von Gütern und Dienstleistungen senkt, den Güteraustausch vergrößert, und aus ihm Neuerungen hervorbringt, die die strategischen Kalküle der Produzenten und Konsumenten verunsichert, einen gegebenen Zustand zu verändern.«

11 François Perroux, L'économie . . ., a.a.O., S. 35 (Hervorhebung von mir. C. R.).
»Der intentionale und nicht-intentionale Einflußeffekt ist asymmetrisch und unumkehrbar. Seine Größe rührt aus einem äußeren Vorteil oder dem Grad der Unbestimmtheit gegenüber dem Gleichgewicht des reinen Tauschs. Seine Komponenten sind *die Vertragsmacht der Einheit,* ihre Ausdehnung und *ihre Zugehörigkeit zu einer aktiven Zone* der Volkswirtschaft. Ihr Einfluß setzt sich direkt oder intermediär durch.«

durch reziproke Interdependenz ausgeschlossen. Die Marktstrategien liegen auf verschiedenen Ebenen: Herrschaftsbeziehungen, strategische Kalküle in bezug auf Preise und Güsterströme, Auswirkungen auf Konsum- und Investitionsneigungen; Auswirkungen auf das Wachstum der gesamten Wirtschaft. Optimales Resultat für alle Austauschrelationen ist eine Egalisierung zwischen dem aufgegebenen und erreichten Grenznutzen.
Der Effekt der Domination entfaltet sich innerhalb und zwischen Produktions- und Konsumssphäre. Seine Struktur ist in der monopolitischen Situation schon angelegt. Im Angebotsmonopol fixiert der Monopolist den Preis und den profit-maximierenden Ausstoß; er definiert gleichsam die Startbedingungen neuer Industrien.

»Il en est de même dans la stratégie d'influence, soit que A parvienne à modifier la *prix-output decision* de B, soit même que A fixe simplement le prix en laissant B vendre ce qu'il veut à ce prix. En revanche, dans la stratégie d'adaptation ou d'entente, si l'effet de domination à l'égard de consommateur est nécessairement inclus, il n'en est pas de même pour l'effet de domination d'une firme à l'égard de l'autre dans les cas, du reste rares, de partage égal de *l'output*.«[12]

Die Perspektive eines elementaren Wirtschaftssystems, die Perroux entwirft, nimmt daher von den durch Institutionen gebildeten restriktiven Bedingungen menschlichen Handelns ihren Ausgangspunkt; indem sie an diese Variablenfelder anknüpft, kann sie sich zunächst auf eine elementare Entscheidungslogik beschränken, in die eine Soziologie der Interessen nur mittelbar eingeht; sie kann, mit anderen Worten, zunächst die Logik des Systems analysieren, um sie dann soziologisch zu reinterpretieren. Perroux erläutert diese Logik am Beispiel der Innovation, die von drei Variablen abhängig ist:
– von Art und Höhe der Vergütung des Chefs der Einheit
– den verfügbaren Informationen
– Anreize, die auf grenznutzentheoretischen Kalkülen beruhen.

12 François Perroux, L'économie . . ., a.a.O., S. 39.
»Wie bei der Einflußstrategie versucht A die price-output-decision von B zu verändern oder einfach den Preis zu fixieren, zu dem B eine von ihm festgesetzte Menge verkaufen will. Im Gegenzug, bei der Strategie der Anpassung oder Koalition, wenn der Herrschaftseffekt im Hinblick auf den Konsumenten notwendig eingeschlossen ist, bedeutet es nicht dasselbe für den Herrschaftseffekt in den wenigen Fällen einer gleichen Teilung des Ausstoßes.«
13 François Perroux, L'économie . . ., a.a.O., S. 611.

Das neue Unternehmen konkurriert mit den alten Betrieben. Innerhalb des noch statischen Preissystems ermöglicht die Monopolstellung die Aneignung von Extraprofiten, die mit der Verallgemeinerung der Innovation verschwinden. Der mit der Innovation in einem Sektor beginnende Aufschwung schaltet Grenzproduzenten aus; der Erfolg neuer Unternehmen bewirkt eine Kreditdeflation; durch Schuldentilgung sinkt der Zins, die Innovation verliert ihre ursprüngliche Qualität.[14] Als Ursache nennt Perroux die historisch gewordene Ungleichheit der Ausgangsbedingungen (»évenment historique exogène«), ohne sie in seine ökonomische Analyse einzubeziehen. Er konstatiert lediglich:

»La firme dominante est une firme à surplus. ... elle est le siège d'une tendance durable à un excès prolongé, de période en période, des ventes sur les achats en quantités et en valeurs.«[15]

In einer langen Wachstumsperiode, die mehrere Zyklen überlagert und in der die Zuwachsrate des Sozialprodukts eine positive oder negative Beschleunigung aufweist, wirkt die schöpferische Wirtschaftseinheit folgendermaßen auf ihre Umgebung ein: Sie erzeugt (1) aus technischen Gründen eine Verringerung von Produktionskosten innerhalb eines größeren Wirtschaftskomplexes, indem sie entweder neue Produkte anbietet (vor allem Dienste oder Materialien) oder niedrigere Realkosten ermöglicht. Die »technisch-optimale Dimension«, die sich als Folge diskontinuierlicher zusätzlicher Investitionen ergibt, ist mit der Größenordnung erreicht, die mit Rücksicht auf die gerade noch möglichen Absatzmengen die niedrigsten durchschnittlichen Gesamtkosten bedeutet. Sie bewirkt (2) zusätzliche komplexbedingte Profite, die das Großunternehmen in seiner Kalkulation antizipieren kann, indem es mit den Kleinfirmen einen gemeinsamen Block zur Verteilung der Produktionsfaktoren bildet. Die zusätzlichen Profite können sich danach aus bestimmten, an die Marktordnung gebundenen Preisen ergeben oder aus einer Umverteilung der »Macht« zwischen Fraktionen von Interessengruppen. Sie löst (3) durch sogenannte unteilbare Investitionsblöcke komple-

---

14 Vgl. auch Joseph Schumpeter, Theorie der wirtschaftlichen Entwicklung, Berlin 1952.

15 François Perroux, L'économie . . ., a.a.O., S. 40/41.
»Die dominante Firma ist eine Firma des Surplus ... Sie ist der Punkt einer andauernden Tendenz eines von Periode zu Periode vergrößerten Überschusses der Verkäufe über die Einkäufe an Menge und Wert.«

mentäre Investitionen aus, die wiederum Gewinne abwerfen. Sie bildet (4) durch ihre Fixierung an einen Ort (Rohstoff- und Energiequelle) territoriale Zusammenballungen, indem sie komplementäre Tätigkeiten und Gründungen an sich zieht und einen Ausbau der Verkehrsmöglichkeiten veranlaßt.
Die dominante Firma hat einen technischen und kommerziellen Vorsprung durch Institutionalisierung von Neuerungen und Kreditdistribution. Sie folgt der Logik der Maximierung, finanziert ihre eigene Nachfrage, nimmt Einfluß auf andere Firmen durch Beteiligungen oder über »centres financiers ou politiques intermédiaires«. Die Austauschvorgänge folgen dem Schema von Anziehung und Abstoßung.

Abstrakte Räume	Verbindungen	Einheiten	
		elementar	komplex
I geonomisch (Eo)	geonomisch zwischen Punkten Linien Flächen Volumen	Menschen Güter	Menschengruppen Güter- gesamtheiten
II ökonomisch (Ea)	ökonomisch	Mikroeinheiten der Produktion	Makroeinheiten
durch Pläne definiert (Ea 1)	in bezug auf – eine Einheit – andere Einheiten	kleine Mengen	große Mengen
		Preise	
Kräftefelder (Ea 2)	von der Einheit ausgehend auf die Einheit einwirkend	Mikroeinheiten der Konsumtion	
homogene Vielheit (Ea 3)	homogen in bezug auf die Einheit homogen in bezug auf die Verbin- dungen zwischen den Einheiten		

Die schöpferischen Wirtschaftseinheiten bringen eine neue Infrastruktur des Marktes hervor und vergrößern den Wachstumskoeffizienten des Realprodukts. Ihr Beschleunigungsfaktor ist anfänglich sehr groß, wird jedoch mit der Entwicklung kleiner: die Stabilisierung der realen Kosten und die Ausweitung des Anlagekapitals lassen nur noch partielle Modernisierungen zu. Das Absinken der Wachstumsraten wird durch neue Industrien ausgeglichen.[16] Die Strukturierung »wirtschaftlicher Räume« wird durch ein kontinuierliches Wachstum der Investitionstätigkeit hervorgerufen. (Erstens) Bestehende Industrien entfalten sich, erneuern sich unter monopolistischer Konkurrenz und führen, der technischen Entwicklung folgend, Neuerungen ein, (zweitens) neue Industrien entstehen und bauen unter gleichen Bedingungen ihre Produktionskapazität aus, (drittens) Neuerungen und Investitionen werden durch den öffentlichen Sektor veranlaßt. Durch die strukturierenden Komplexe und die unterschiedlichen Zuwachsraten der Produktivität wird die traditionelle Logik des Gleichgewichts gestört: Wachstum wird eine Funktion der bewegenden Einheiten und der zonalen Verbreitung dieser Auswirkungen.

2.2 *Zwang und Geschenk. Normen als Quasi-Mechanismen des Marktes*

Um die beiden Faktoren des Asymmetrie und der Irreversibilität zu analysieren, setzt Perroux eine dominante Firma einer dominanten, in Einflußbereiche aufgefächerten nationalen Ökonomie gleich. Er beschreibt deren Ressourcen als Kombination von Produktionsfaktoren und Verfügungsgewalt, die dem Muster der Maximierung folgen.

»Ce sont ceux des chefs de firmes privées qui maximent leur revenunet, par les moyens du marché; ce sont ceux odes représentants de l'État qui maximent le pouvior national ou le bien-être social ou une combination des deux, par la contrainte organisée, par les moyens du marché ou par une combinaison de l'une et des autres.«[1]

---

16 Für seine Analyse unterscheidet Perroux bei diesen Komplexen »bewegende« und »neue« Industrien; letztere verwirklichen, indem sie die routinierten Betriebsorganisationen auflösen, eine expansive Neuerung und führen eine spezifische Produktionskapazität in die Wirtschaft ein.

1 François Perroux, L'économie . . ., a.a.O., S. 52.
»Die Chefs der privaten Firmen maximieren ihr Nettoeinkommen durch Marktmittel; die Repräsentanten des Staates maximieren die nationale Macht und das Gemeinwohl oder eine Verbindung von beiden durch organisierten Zwang, Marktmittel oder eine Kombination von beiden.«

Die Entscheidungen sind freilich von denen der monopolistischen Situation unterschieden. Sie resultieren aus einem Parallelogramm von Kräften privaten und öffentlichen Zwangs.

»L'effet de domination né d'une situation monopolistique où se trouve l'économie nationale A à l'égard d'autres économies nationales B, C, D, . . ., ne variera pas seulement avec la part relative de l'offre de A dans l'offre totale ni avec l'élasticité de la monnaie, *mais encore avec le degré de l'unité de décision* à l'intérieur de l'économie nationale considéré comme *un* monopoleur.«[2]

Perroux sieht, daß Art und Richtung von Makrodezisionen auf die Logik von Systemen, in denen Innovationen institutionalisiert sind, nicht reduziert werden können. *Informationen* gehen ebenso in sie ein wie die Komponenten der *Vertragsmacht*, die relativen Anteile an Angebot und Nachfrage. Denn die Hypothesen des reinen Tauschs wie des Zwangs, die Perroux in den Theorien der »Händlergesellschaft« kritisiert, sind normativ: sie setzen die Freiheit des einzelnen Wirtschaftssubjekts voraus oder rechnen mit einer anordnenden Instanz. Logische Reduktionen bringen die Maximierungen formal zum Ausdruck.
So sind in dem von Joan Robinson entworfenen Modell einer fiktiven Wirtschaft alle Arbeitskräfte gleich, ist Arbeit in Standardwerten meßbar; die konsumierten Waren bleiben gleich und werden in festen Proportionen erzeugt, denen Proportionen der Ausrüstung entsprechen; die gesamte Ausrüstung ist produziert und reproduzierbar. Akkumulation und Arbeitskräfte sind voneinander unabhängig.
Im Rahmen dieses Modells einer geschlossenen Wirtschaft ohne Kostenvorteile bei Massenproduktion untersucht Robinson die Probleme der Akkumulation. Ihr Interesse gilt dem Verhältnis von Löhnen und Gewinnen.

»Unsere Modellwirtschaft wird von keinen anderen Leuten bewohnt als den Arbeitern, die ihre Löhne (und nur die Löhne) laufend wieder ausgeben, und den Unternehmern, deren Konsum unwesentlich

2 François Perroux, L'économie . . ., a.a.O., S. 53.
»Der Effekt der Domination, entstanden aus einer monopolistischen Situation, in der sich die nationale Volkswirtschaft A in bezug auf andere nationale Volkswirtschaften B, C, D befindet, variiert nicht allein mit dem relativen Anteil des Angebots von A an der Gesamtheit des Angebots noch mit der Flexibilität der Wechselkurse, aber mit dem Grad der Einheitlichkeit der Entscheidung im Innern der nationalen Volkswirtschaft, die als Monopolist betrachtet wird.«

ist und deren einzige Aufgabe und Absicht darin besteht, die Produktion zu organisieren und Kapital zu akkumulieren.«[3]

Gewinn ergibt sich aus der Differenz zwischen der erzeugten Menge pro Beschäftigten und der notwendigen Menge zur Erhaltung der Familie des Arbeiters, des Arbeitskräftepotentials. Bedingungen für die Realisierung von Gewinnen sind die Investitionen. Die Profitrate entspricht der Akkumulationsrate.

»Da sich das Verhältnis von Gewinnspannen zu Lohnkosten nicht ändert, bleiben die Profitrate und die Reallöhne solange konstant, als sich das Verhältnis von Akkumulation zu Kapitalstock nicht ändert.«[4]

Robinson rekonstruiert die Verbreitung von Neuerungen nach der These von Schumpeter, erweitert sie jedoch um einen objektiven Faktor: die physische Lebensdauer der Kapitalgüter determiniert die Ausbreitung neuer Verfahren.
In einem Modell gleichgewichtigen Wachstums formuliert sie Bedingungen für die langfristige Stabilisierung des Systems: die Reallöhne müssen mit der Produktion pro Kopf steigen; diesen Mechanismus garantieren die Gewerkschaften.

»Das Steigen der Reallohnsätze ist ein wesentlicher Bestandteil des Mechanismus, der das System in Bewegung hält; denn es sind die steigenden Reallöhne, die den Markt für das ständig wachsende Produkt des ständig wachsenden produktiven Kapitalstocks stellen.«[5]

Der technische Fortschritt muß neutral sein, der Produktivitätszuwachs wie die Anteile von Löhnen und Gewinnen konstant, in beiden Produktionsabteilungen gleich sein; der Kapitalstock muß mit der pro-Kopf-Produktion wachsen, das Reallohnniveau proportional zur Produktivität; die Sparquote muß konstant bleiben; das monetäre System muß Spar- und Investitionsquote ausgleichen und Investitionen ermöglichen; technischer Fortschritt muß knappe Ressourcen substituieren.
In einem »Goldenen Zeitalter« ist der technische Fortschritt neutral, sorgt der Wettbewerb für Preisflexibilität, steigen Produktivität und Reallöhne, wächst die Bevölkerung proportional zu den entstehenden Kapazitäten, handeln die Unternehmer im Horizont positiver Gewinnerwartungen. Robinson analysiert den Zusammenhang von Mechanisierungsgrad, Realkapitalquotient

---

3 Joan Robinson, Die Akkumulation des Kapitals, Wien 1964, S. 93.
4 Joan Robinson, a.a.O., S. 100.
5 Joan Robinson, Über Keynes hinaus, Wien 1962, S. 107, vgl. auch S. 154 ff.

(RKQ)[6], Reallohn und Akkumulation. In dynamischer Perspektive werden bei steigenden Reallöhnen mechanisierte Verfahren rentabel; sie setzen im Konsumgütersektor Arbeiter frei, die im Investitionsgütersektor Maschinen herstellen: die Akkumulation steigt, ebenso wie die Kapazitäten, die Arbeit nachfragen und die Akkumulation weiter verlängern. Der Trend zur Akkumulation ist von Konjunkturzyklen überlagert, die auf die Erwartungen der Unternehmer zurückwirken. Antizipierte »Verkäufermärkte« induzieren Investitionen. Autonome Investitionen vergrößern die Kapazitäten und zerstören die Verkäufermärkte: bei wachsendem Angebot steigt die Nachfrage nach Konsumgütern nicht. Der Verkäufermarkt wird zum Käufermarkt, dem sinkende Preise und Gewinnerwartungen sie sinkende Investitionen folgen.[7]
Dieses Modell bildet die Konsequenzen einer begrenzten Zahl ökonomischer Kräfte ab; es löst den Unternehmer aus seiner Umwelt und untersucht die Wechselwirkung von Innovation und Wachstum. Es ist auf die implizite Voraussetzung gegründet, wesentliche Momente kapitalistischer Gesellschaft abzubilden. Das Gleichgewichtsmodell der stationären Wirtschaft kennt jedoch keinen Surplus in Form von Beteiligungen und Profiten; jeder hat den gleichen Zugang zum Kapital, es gibt weder Spar- und Akkumulationskapital noch Kapitalisten.[8] Auch die von Leon Walras in Gleichgewichtstheoremen formulierte »Interessenidentität« ist dafür ein Beispiel: bei gegebenen Ressourcen, Produktionstechniken und Präferenzen können Preise und Quantitäten getauschter Güter bestimmt werden; die auf die Bedürfnisbefriedigung angelegten individuellen Verbrauchspläne sind mit einem Optimum sozialer Befriedigung identisch. In der Budgetplanung entsprechen sich produktive Leistungen und Konsumausgaben. Verhaltensgleichungen bringen das rationale Verhalten der Wirtschaftssubjekte zum Ausdruck, das Nutzenmaximierung einschließt. Die Grenznutzen aller Leistungen und Produkte sind den Preisen proportional. Das Marktgleichgewicht bildet sich über die Preise, die das Angebot an Dienstleistungen

6 Der Realkapitalquotient mißt das Verhältnis des in Arbeitszeit ausgedrückten Kapitals zur eingesetzten Arbeitsmenge bei »normaler« Kapazitätsauslastung.

7 Robinson verweist zwar darauf, daß diese Orientierungsgrößen von Traditionen und Normen überlagert werden, ohne jedoch die theoretischen Konsequenzen daraus zu ziehen. Vgl. auch S. 79 ff.

8 Vgl. zur Kritik P. M. Sweezy, The Present as History, New York 1962.

und die Nachfrage nach Produkten determinieren. Voraussetzung ist, daß die angebotenen Mengen den nachgefragten gleich sind und die Produktionskosten die Preise nicht übersteigen.
Dieses statische System schaltet zwar Knappheit und Zwang aus, seine Formulierung ist jedoch nur mit Abstraktionen von unterschiedlichen Nutzenfunktionen, ungleichen Einkommen und Profiten möglich; es ist auf die Explikation soziologischer Rahmenbedingungen angewiesen. Denn in der Annahme einer utilitaristischen Bilanzierung von Freude und Leid kommen zwei Aspekte nicht zur Geltung, die Perroux *Zwang* und *Geschenk* nennt. Die Wirtschaftshandlung ist demnach ein »kampfgeladenes Zusammenwirken«, durch die ein Individuum oder eine Gruppe »verrechenbare Dinge« erwirbt und benutzt;[9] sie wird durch die reflexhafte Auslösung von Handlungen, Inspiration und Kalkül ergänzt. Der gleichsam vergrößerte Rahmen von Handlungen sind Institutionen, »dauerhafte Regeln für das Spiel der sozialen Kräfte und der kollektiven Gewohnheiten«; in der institutionellen Dialektik konkretisieren sich die Beziehungen zwischen Zwang, Tausch und Geschenk. Perroux erläutert das Phänomen des Zwangs am Machtmittel des Geldes: zunächst der Akquisition von Gütern dienend ist es »un instrument de pouvoir; un moyen de placer le sujet ou un autre sujet en état d'accéder au monde des ›choses sans prix‹.«[10] In die Nutzenmaximierung der Wirtschaftssubjekte durch Gleichsetzung der Grenznutzen möglicher Verwendung geht mithin der Zwang fremder Techniken, der Gesellschaftsstruktur und der politischen Bedingungen des Marktes ein. Ist so schon die Wirtschaftsrechnung des einzelnen abstrakt, wird der fiktive Charakter eines allgemeinen Gleichgewichts zwischen Unternehmen durch die als »Datum« nicht problematisierte Staatsfunktion deutlich: Firmen üben »privaten« Zwang aus, und vergeben Pseudogeschenke, die Preisvorteile ermöglichen; innerhalb eines stationären Kreislaufs,[11] eines sich entwickelnden Gleichgewichts, wird zudem öffentlicher Zwang erforderlich, um die jeweiligen Maximierungen zum Ausgleich zu bringen und den Kreislauf aufrechtzuerhalten. Öffentlicher Zwang ist durch den Staat monopolisiert, der Leistungen erwirbt und veräußert. Die durch unterschiedliche Relationen

9 François Perroux, Zwang, Tausch, Geschenk, Stuttgart 1962, S. 12 ff.
10 François Perroux, L'économie . . ., a.a.O., S. 83.
11 François Perroux, L'économie . . ., a.a.O., S. 128 ff.

definierten ökonomischen Räume werden durch den Staat als dominierende Einheit überformt: organisierter und legitimierter Zwang lenkt über Steuern Geld- und Güterströme, kontrolliert Wechselkurse, fixiert Preise und Mengen.[12]

Da Perroux Zwang als »unfreies« Wirtschaftsgut interpretiert, dessen Verteilung im Interesse günstiger Wirkungen dem Prinzip der Maximierung folgt, gewinnt diese Organisation des gesellschaftlichen Verkehrs ihre Rationalität aus der Ordnung der Präferenzen, aus der Kenntnis der Kombination individueller und kollektiver Prioritäten, die die Kollegien der öffentlichen Meinung formulieren. Diese konkurrierenden Strategien gleichen sich im Horizont sozialer Normen aus, die Perroux allerdings als Quasimechanismen des Marktes begreift. Die Interaktionen der einzelnen Gruppen sind folgerichtig nach Kosten des »privaten« Zwangs analysierbar, deren Höhe sich nach der integrativen Kraft des gemeinsamen Ziels bemißt.

Perroux beschreibt daher, obwohl er politische Macht durch ihr ökonomisches Substrat definiert, Gesellschaftssysteme als Gesamtheiten kooperierender Gruppen, die wechselseitig Prioritäten und Verhalten angleichen oder durch Zwangsausübung verändern. Unter diesem Aspekt erneuert er nur das Konzept der countervailing powers: an die Stelle des Wettbewerbs treten sich balancierende Gegenkräfte, die die Stabilität des Systems dauerhaft sichern; jeder Konzentrationsprozeß auf der Seite der Produzenten läßt auf der anderen eine entgegenwirkende Kraft entstehen.[13] Staatliche Interventionen sollen daher die Machtüberschreitung einiger Wirtschaftssubjekte eingrenzen. Sie gründen sich auf Ausgleichsübertragung ohne Gegenleistung[14] – einen Transfer der Monopolgewinne an den Staat oder soziale Gruppen und soziale Aufgaben, die der Befriedigung der Bedürfnisse dienen. Diese Übertragungen machen den Klassengegensatz latent; sie bilden einen Teil der unvermeidlichen Kosten für das

12 Vgl. Joseph Schumpeter, Theorie der wirtschaftlichen Entwicklung, Leipzig 1926; François Perroux, Les trois dynamiques de l'évolution et la récherche d'une dynamique totale chez J. Schumpeter, in: Economie appliquée, 1/1952.

13 Galbraith macht freilich noch die folgenreiche Einschränkung, daß die von Gegenkräften regulierte Wirtschaft zu Inflation und Vergeudung tendiert; vgl. J. K. Galbraith, Der amerikanische Kapitalismus, im Gleichgewicht der Wirtschaftskräfte, Stuttgart 1956; ders.: Die moderne Industriegesellschaft, München 1969.

14 Vgl. François Perroux, La mesure des progres et l'idée d'économie progressive, Cahiers de l'I. S. E. A., Serie I, 1–3.

Funktionieren des Marktes. Diese humanisierte Logik des Marktes soll Perroux zufolge selbst zwangsläufig in einen Dialog münden, der im Prinzip der Wirtschaftlichkeit schon angelegt ist. Dieses Argument einer zwanglos rehumanisierten Welt, das in den Versuchen zur Soziologisierung des ökonomischen Denkens durchscheint, findet bei Perroux in der Formel der »Wirtschaft des Menschen« seinen Ausdruck. Gleichsam oberhalb der politischen Systeme, die nicht mehr durch den Klassenantagonismus strukturiert sind, sollen Gewinnstreben und Handeln zugunsten von Motiven in den Hintergrund gedrängt werden, die auf das »Wohl der gesamten Gesellschaft« ausgerichtet sind. Solidarität löst demzufolge das Zwangs- und Interventionssystem der Händlergesellschaft ab.[15] Der Profit wird Diskussionsprozeduren unterworfen, die sich zwischen Agenten der Kreativität und Autorität, zwischen den Eigentümern, Arbeiter und Repräsentanten des allgemeinen Interesses etablieren.

»Ce ›profit‹, sous peine de régression économique, ne peut être discuté *qu'en termes de fonctions économiques,* qui éclairent les conflits sociaux, les actions de puissance et les épreuves de forces entre groupes. Cela n'implique aucun normativisme arbitraire, aucun moralisme facile: en fait les groupes sociaux prennent conscience que des fonctions économiques permanentes sont exercées par des institutions variables.«[16]

Im »Allgemeininteresse« faßt Perroux jene Informationen zusammen, die über die Ergebnisse ökonomischer Aktivität und die Artikulationsmöglichkeiten von Interessen orientieren. In einer gesellschaftlichen Bewertung produktiver Funktionen auch in einem Prozeß »sozialen« Austauschs, der den wirtschaftlichen überlagert, wird die Eigenlogik von Gleichwertigkeit, universaler Präferenzordnung und Solidaritätsübertrag diskutierend überprüft; in ihm ist die Wirtschaft ohne Mangel und die Gesellschaft ohne Zwang angelegt.

---

15 Vgl. François Perroux, Science humaine et science économique.
16 François Perroux, L'économie . . ., a.a.O., S. 628.
»Wenn man nicht eine ökonomische Rückentwicklung in Kauf nehmen will, kann dieser Profit nur im Hinblick auf ökonomische Zielfunktionen diskutiert werden, welche die sozialen Konflikte, die Machthandlungen und Machtkämpfe zwischen Gruppen erleuchten. Das impliziert keinen willkürlichen Normativismus oder leichtfertigen Moralismus: die sozialen Gruppen gewinnen faktisch ein Bewußtsein davon, daß die ständigen ökonomischen Funktionen von variablen Institutionen wahrgenommen werden.«

Diese Formel einer »Wirtschaft des Menschen« stützt Perroux auf eine Reorientierung der Wissenschaft, auf eine rationale Interaktion von Wissenschaft, Technik und Industrie: ein wachsender Vorrat überprüfter Kenntnisse wird zur Beherrschung der Außenwelt angewandt; organisierte Maschinensysteme stellen Gebrauchswerte her.[17]

Zwar ist die Logik dieser drei Prozesse verschieden, die Entwicklung nicht gleichlaufend sondern widersprüchlich: die Grundlagenforschung erscheint in der restriktiven Perspektive ihrer Anwendung; das Verwertungsinteresse grenzt den Horizont wissenschaftlicher Forschung ein; zwischen den arbeitsteiligen Disziplinen ist ein kommunikativ begründetes Korrespondenzverhältnis nur schwer herzustellen. Alle Strukturen haben wissenschaftlich konstatierbare menschliche Bedürfnisse, konfligieren mit der Tauschgesellschaft und deren Prioritäten. Gleichwohl insistiert Perroux darauf, daß sich die theoretische Nationalökonomie aus Interessenzusammenhängen gelöst hat: in kontrollierbarem Wissen verschmelzen wirtschaftliche Effektivität und maximale Bedürfnisbefriedigung.

Aus dem zwanglosen Zusammenspiel der Disziplinen Psychologie, Soziologie und Kybernetik sollen Programme zur »Ernährung des Menschen« hervorgehen; die in ihrer Geltung historisch umgrenzte fachliche Detailforschung verbürge Rationalität.

»Die Wirtschaft wird offenkundig zu einer rationalen Ordnung der Dinge und der menschlichen Beziehungen mit dem Ziel, jedem Einzelnen möglichst volle Entfaltung zu bieten.«[18]

Die Formel für die »Wirtschaft des Menschen« soll aus einem internationalen Erfahrungsaustausch entstehen, der sich um einen Objektbereich gruppiert: Widersprüche der Industrialisierung in allen Gesellschaften, die aus der zeitlich gebundenen Vermehrung der Mittel und den um die Verteilung konkurrierenden Gruppen resultieren. Die idealtypische Definition der industriell und politisch verschiedenartig strukturierten Gesellschaften ist für Perroux's technokratische Version obselet: sie unterscheiden sich nur scheinbar durch privates oder öffentliches Eigentum an Produktionsmitteln. Die Wirtschaftsobjekte in den industrialisierten Gesellschaften des Westens handeln innerhalb juridisch abgesi-

---

17 Vgl. François Perroux, Industrie et création collective, Paris 1964, S. 63.
18 François Perroux, Feindliche Koexistenz, S. 6; vgl. auch ders., L'économie . . ., a.a.O., S. 10 ff.

cherter Vorschriften und staatlicher Eingriffe; die Planzentralen entscheiden im Spielraum interpretierter Größen.[19] Tauschvorgänge und Planentscheidungen sind aufgelöst in politisch verformte Marktbeziehungen, denen zwei Probleme gemeinsam sind: der Widerspruch von Produktivkräften und Produktionsverhältnissen und die Koppelung gesellschaftlicher Fortschritte mit einer demokratisch ermittelten Entscheidung aller Individuen, in der der Mensch die Freiheit in der Wahl seiner Mittel und Zwecke, wirtschaftliche Tätigkeit die Unschuld bloßer Bedürfnisbefriedigung zurückgewinnt. Perroux gründet diesen Optimismus auf die dialogische Struktur der Wissenschaft und den »dialektischen« Charakter der Industrie, sie produziere Waffen und Gebrauchswerte in einem.

Die durch Kritik problematisierten Vorhersagen der Wissenschaft sollen eine Verallgemeinerung des Dialogs im Medium praktischer Regeln, einer ständigen gewaltfreien Revision von Antagonismen, in der sich die Menschen kommunikativ ihrer Autonomie versichern, ermöglichen.[20]

Perroux insistiert zwar darauf, daß relevante Erkenntnisse sich um die Konzeption einer menschlichen Wirtschaft kristallisiert, der er jedoch gleichzeitig faktische Geltung beimißt. Institutionen knüpfen lose Bänder interpersonaler Beziehungen zu relativ stabilen Netzwerken, welche die individuelle Kreativität vervielfachen und, wie immer tentativ, den Widerspruch zwischen der »ausgreifenden Spontanität des Geistes« und den restriktiven Bedingungen historischer Realität zu schlichten versuchen. Soziale Vergünstigungen geben der Arbeit in einer kollektiv organisierten Wirtschaft tendenziell ihren Charakter als Spiel zurück.

»Elle accord à ses membres des moyens de cultiver leur santé, leur joie de vivre, leur énergie vitale. Tous ses avantages ne s'expriment pas en termes de prix ou de marché.«[21]

Perroux vertraut darauf, daß das in planende Eingriffe effizient übersetzte Wissen die Bedeutung des materiellen Substrats zu-

---

19 François Perroux, L'économie . . ., a.a.O., S. 591.

20 Vgl. François Perroux, Industrie . . ., a.a.O., S. 105 ff.

21 François Perroux, Science de l'homme et science économique in ders., Trois essais sur la science de l'homme. Paris 1940, S. 39 und 30.
Sie gewährt ihren Mitgliedern die Mittel, um ihre Gesundheit, ihre Lebensfreude und vitale Energie zu pflegen. Alle diese Vorteile lassen sich nicht in Kategorien des Wertes oder des Marktes ausdrücken.

gunsten eines »bewußten Willens« herabmindert und die Mechanismen des Systems überspielt, die er andererseits in seinen materialen Arbeiten überzeugend beschreibt. Die fehlende Vermittlung der Analyse einer Logik von Produktionsprozessen mit der nur in einzelnen Ansätzen soziologisch gerichteten Untersuchung von Zwang und Geschenk, die sich von dem Muster ökonomischer Maximierung nicht löst, faßt den »Bereich des Ökonomischen« als System funktionaler Beziehungen zwischen Quantitäten auf, in dem Bedingungen für Gleichgewicht, Vollbeschäftigung und optimales Wachstum formuliert werden können. Gleichzeitig rechnet sie damit, daß diese »Soll-Werte« des Systems politisch formuliert werden können. Die Konsequenz ist ein Modell mit Hypothesen über das Verhalten der Menschen innerhalb einer sozialen und physikalischen Umwelt, in der sie die ökonomischen Grundprobleme von Produktion und Konsumtion lösen.[22] Perroux beschreibt das kapitalistische System als einen möglichen institutionellen Rahmen, der spezifische Regeln gesellschaftlichen Verkehrs definiert und Möglichkeiten der Verfügung über Produktionsmittel und der Verteilung festlegt. Die Kategorien und Funktionsbeziehungen der ökonomischen Theorie sollen jedoch unabhängig von diesem institutionellen Rahmen gelten, der nur den »Datenkranz« der Analyse bestimmen und einer umfassenden, politisch vermittelten Revision zugänglich sein soll. Wissenschaftlicher Humanismus als gemeinsame Basis und »ausgedehnte Grundbegriffe« unterschiedlicher Wirtschaftssysteme sollen zu den Veränderungen des Unterbaus hinzutreten und eine Gleichrichtung der noch disparaten Interessen organisieren. Fortschritt der Industrie ist der der Gesellschaft. Eine »grande méchanique« bildet sich im Weltmaßstab und macht das Individuum zum »citoyen d'une cité machinale«.[23]

An Ophelimitätskriterien orientierte Arbeitsprozesse sollen ein »vitales« Gleichgewicht von Bedürfnis und Befriedigung bewir-

---

22 Vgl. François Perroux, L'économie . . ., a.a.O., S. 585 f.
J. Robinson, Doktrinen der Wirtschaftswissenschaft, München 1965; dies., Exercises in Economic Analysis, London 1965.

23 François Perroux, Industrie et création collective; a.a.O., S. 70.
»Wissenschaft, Technik und Industrie tendieren zur Ausbildung einer großen Weltmechanik; wenn diese ihrer eigenen Logik folgt und ihre Wirksamkeit in den Horizont der verfügenden Objekte einbringt, tendiert sie dazu, aus der Gattung der Menschen eine Maschinengesellschaft zu machen.«

ken, das ein soziales gleichermaßen hervorbringt: universale Sozialisierung ist gleichbedeutend mit der Humanisierung der Gattung. Die Hypostasierung der technologisch bestimmten Basis zur Determinante des ökonomischen Prozesses und letztlich auch der Interessen unterschlägt den umfassenden politischen Charakter maschineller Vollzüge selbst.[24] Die bloß ökonomische Analyse weist die Bedingungen einer Weltwirtschaft auf, überwindet jedoch nicht die Trennung von ökonomischer Rationalität und politischer Entscheidung: sie sieht Herrschaft als technische Verfügung wie sie gegenüber der Natur schon wirklich ist. Möglichkeiten der Koordination von Nationalismen, der Zusammenarbeit zwischen industriell verschieden entwickelten Ländern, der Verbindung und Umfunktionierung von Interessen werden ausgespart. Interessen sozialer Gruppen, die sich auf eine Änderung des Verteilerschlüssels im Bereich der Distribution richten,[25] können in den Dauerkompromissen der Institutionen stillgestellt werden: Wandlungen, die nicht von den sich anpassenden Institutionen aufgefangen werden können, erscheinen irreal; die Stabilität der Systeme ist grundsätzlich gesichert.

Die Kritik von Perroux an den gegenwärtigen Wirtschaftssystemen impliziert die funktionalen Bedingungen einer Weltwirtschaft, deren technische Bedingungen gegeben sind.

Diese Kritik der Wirtschaftssysteme richtet sich auch gegen die nationalökonomische Theorie selbst. Perroux faßt sie jedoch nicht als theoretisch und praktisch fungierende Ideologie, die das historische Potential der Veränderung nicht thematisiert, sondern stellt ihr abstrakt die elementaren Aufgaben einer planetarischen Wirtschaft gegenüber: die Ernährung und Pflege des Menschen und die Befreiung der Sklaven. Indem er ökonomische Rationalität mit einer rational ihre Bedürfnisse regelnden Gesellschaft gleichsetzt, ohne beide Momente zu vermitteln, reduziert er die Kategorie der Machbarkeit gesellschaftlicher Verhältnisse auf eine subjektiv gerichtete Dezision von Managern oder Eliten und schließt aus der Ähnlichkeit der Systeme in der Dimension ihrer theoretischen Rekonstruktion, die er unterstellen muß, auf eine manipulative Anpassung der Reproduktions-

---

24 Vgl. z. B. H. Marcuse, Die Gesellschaftslehre des sowjetischen Marxismus, Neuwied und Berlin 1964; ders.: Der eindimensionale Mensch, Neuwied 1967.

25 Perroux deutet die Möglichkeit einer »Weltrevolution aus Empörung« gegen den Hunger an, ohne daraus systematische Konsequenzen zu ziehen.

mechanismen selbst. Damit erneuert Perroux das St. Simonistische Pathos einer »organisierten Gesellschaft«, in der gesellschaftliche Arbeit von politischer Gewalt befreit, einer Selbstverwaltung von leitenden Industriellen unterstellt und die Reproduktion des gesellschaftlichen Lebens im Interesse einer Maximierung sozialen Nutzens geregelt ist. Diese »sozialutopische Beschwörung« überträgt die Maschinensystemen inhärente Rationalität bruchlos auf Gesellschaftssysteme. Dieses Muster findet sich in eigentümlicher Weise auch in jenen Theorien, die die Auffassung der Nationalökonomie als spezieller Soziologie schärfer akzentuieren.

3.1 Adäquanzkalkül und Sanktion

Dieser Versuch zur Soziologisierung des ökonomischen Denkens, der die Analyse von Motiven und Freiheitsgraden des Verhaltens durch die der Daten ergänzt, knüpft an die empirische Verhaltensforschung an.[1] Die in einem Tauschnetz verknüpften Entscheidungsakte bezeichnen den Übergang von der Entscheidungstheorie zur sozialökonomischen Theorie. Gäfgen hat sie schematisch dargestellt.[2]

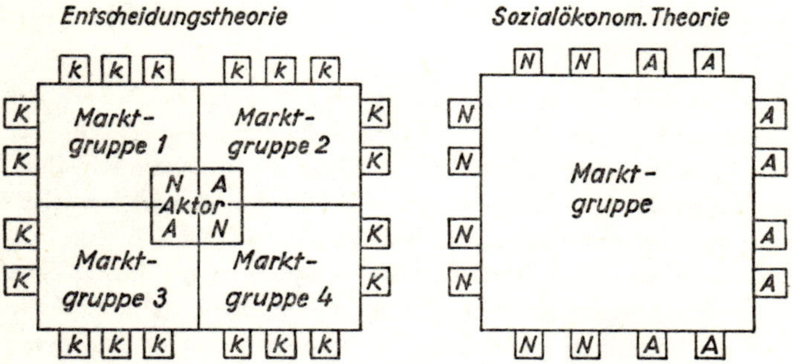

K = Rolle gesehen in Konkurrentenperspektive
k = Rolle gesehen in Kontrahentenperspektive
A = Anbieterrolle
N = Nachfragerolle

Hans Albert zieht aus dem Prozeß der Industrialisierung, den er als Ablösung von ökonomischen Determinanten deutet, die methodologische Konsequenz, daß nicht-kommerzielle Komponenten, »Sanktionsmechanismen«, an Bedeutung gewinnen. Er be-

1 Vgl. Herbert Wölker, Die Bedeutung der empirischen Verhaltensforschung für die ökonomische Theorie, Meisenheim 1961.
2 Gérard Gäfgen, a.a.O., S. 64.

zieht die Untersuchung kommerzieller Beziehungen unter dem Aspekt problemlösenden Verhaltens in die Soziologie ein und versucht, die Erklärung des Marktverhaltens durch die Analyse der Reaktionen der Marktpartner und ihrer »Lage im sozialen Feld« zu sichern: da die »Bewegungen der Güterwelt« vom Verhalten der Menschen, von »sozialen Beziehungen« abhängig sind, verbergen sich hinter der logischen Grammatik ökonomischer Theoreme soziale Beziehungen, implizieren Preise, Tauschakte; in mathematischen Gleichungen ausgedrückte Güterströme zeigen die durch Verfahrensregeln juridisch abgesicherte Übertragung von Sachleistungen aus dem Verfügungsbereich verschiedener Gruppen an, deren kommerzielle Aktionsfelder durch Reaktionsalternativen determiniert sind.

»Die zentrale Idee des ökonomischen Denkens ist eine in einem sehr fundamentalen Sinn soziologische Idee: nämlich die, daß sich die Produktion und Verteilung der Güter in einem durch bestimmte juridische Sanktionsmechanismen abgestützten System von kommerziellen Beziehungen zwischen den Personen und Gruppen einer Gesellschaft quasi-automatisch in einer für die Bedürfnisbefriedigung relevanten Weise regelt.« [3]

Alle Prozesse in dem marktmäßig organisierten Teilbereich der Gesellschaft gehen mithin auf Entscheidungen zurück, die bestimmten Maximen folgen; die Analyse der Marktentscheidungen berücksichtigt die Spielregeln der Gewinnung und Verarbeitung von Informationen und bezieht sich auf ein – in eine allgemeine Verhaltenstheorie gefaßtes – System von Marktrollen. In dieser Perspektive können soziale »Gebilde« als Netzwerke stabiler Beziehungen zwischen den Inhabern sozialer Positionen und Rollen beschrieben werden. Diese Beziehungsnetze können den Charakter von *Organisationen* oder *Märkten* haben: eine Organisation wird zentral geleitet; bei Märkten kontrollieren soziale Mechanismen das Verhalten der Teilnehmer. Märkte sind Rekrutierungsfelder für Positionen, insbesondere für Berufsrollen und *Alimentierungsmechanismen* für andere »Gebilde«, indem sie sicherstellen, daß Kapital, Rohmaterial und Verbrauchs-

---

3 Hans Albert, Modellplatonismus. Der neoklassische Stil des ökonomischen Denkens, in: E. Topitsch (Hsg.), Logik der Sozialwissenschaften, a.a.O., S. 421; vgl. auch Hans Albert, Marktsoziologie und Entscheidungslogik, Neuwied 1967. – Ich vernachlässige hier die Arbeiten von Albert zur Kritik der nationalökonomischen Theorie und beziehe mich auf die von ihm vorgeschlagene Konzeption.

güter aus einem Verfügungsbereich in den anderen übergehen. Albert sieht freilich, daß die Marktanalyse nur über vergangene Prozesse informieren kann: denn selbst dann, wenn die Reaktionen der Marktpartner bekannt sind und das Aktionsfeld determiniert ist, müssen die Informationen noch in Plankurven übersetzt werden.

Gleichwohl bringt die reinterpretierte Marktanalyse den Gesichtspunkt zur Geltung, daß das auf bestimmte Sozialstrukturen hin relativierte Verhalten in den Objektbereich der Soziologie gerät, die Albert als juridisches Sprachspiel und als Metatheorie jeden Sprachsystems interpretiert. Die Sprachspiele der reinen Ökonomie, die in sich abgeschlossenen Systeme allgemeiner Sätze, welche Interdependenzzusammenhänge von Quantitäten und die Bestimmungsfaktoren des Gleichgewichts beschreiben, werden damit zu Bezugspunkten soziologisch reinterpretierter Theorien: die Nationalökonomie behandelt in der »Objektsprache« ihre Gegenstände; sie formuliert eine Metaphysik des Nutzens, eine Ideologie des Erwerbs, der Ausbeutung und der Wohlfahrt, eine Soziologie des Marktes und eine Logik der Entscheidung. Die Kalkülmodelle der Entscheidungslogik und die soziologischen Sprachspiele der kommerziellen Beziehungen sind zwanglos verknüpfbar, da sich ihre Maximen auf eine gegebene Sozialstruktur beziehen.

»Die Personen, die in ihren gegenseitigen Beziehungen zu ihrem Objektbereich gehören (einer als Metatheorie aufgefaßten Soziologie, C. R), sind nicht nur handelnde, sondern aufgrund von Theorien handelnde Wesen, von Theorien, die sich auf die Perspektive ihrer jeweiligen sozialen Rolle und der darin institutionell und individuell verankerten Interessen beziehen lassen.«[4]

Albert greift auf ein schon in der neoklassischen Theorie formuliertes Paradigma, die Idee eines finanziellen Sanktionsmechanismus zurück, der »wirtschaftliche Erscheinungen« unter Bedingungen der vollkommenen Konkurrenz auf ein als optimale Bedürfnisbefriedigung gedeutetes Gleichgewicht hin steuert: finanziellen Vorteilen entsprechen positive Sanktionen. Er unternimmt den Versuch, diese Annahmen in der Perspektive eines Programms zu formulieren, welches das »Marktgeschehen« auf individualistischer Grundlage nomologisch interpretiert und unter Rückgriff auf sozialpsychologische Erkenntnisse das Prinzip

4 Hans Albert, Marktsoziologie und Entscheidungslogik, a.a.O., S. 277.

der Nutzenmaximierung konkretisiert. Damit wäre zugleich die Bedeutung eines Alternativen akzentuierenden theoretischen Pluralismus und eines theoretischen Reduktionismus, der sich auf fundamentale Erklärungsprinzipien richtet, gezeigt; die in den Naturwissenschaften vollzogene Reduktion der Keplerschen und Galileischen Gesetze auf die der Newtonschen Theorie, könnte als suggestives Beispiel wissenschaftlichen Fortschritts auf die Sozialwissenschaften übertragen werden.

Die neoklassische Doktrin entfaltet die Annahme der Gewinnmaximierung bei vollkommener Information. Unter der Voraussetzung, daß die Situationsbeurteilung von »Theoretiker« und »Handelndem« übereinstimmt, können aus diesem Kalkülmodell Aussagen über Produktions- und Kaufentscheidungen gewonnen werden. Albert sieht den Mangel dieses Modells darin, daß die Rollendichotomie von Unternehmer und Konsumenten, die Problematik einer Koexistenz beider Zielsetzungen nicht erfaßt wird. Erwartungskonstitution muß auch die faktische Situationswahrnehmung und die faktische Umgebung einbeziehen.

»Der mit ihrer Situationswahrnehmung verbundene Erwartungshorizont und die dafür konstitutiven mehr oder weniger impliziten Theorien der Unternehmer müssen nun nicht mehr ex hypothesi adäquat sein, wie das die Transparenzannahme verlangte, sie können vielmehr in jeder Hinsicht Defekte, Einseitigkeiten, Verzerrungen und Vereinfachungen enthalten. Damit wird aber diese Situationswahrnehmung nicht nur zu einer entscheidenden Komponente des tatsächlichen Ablaufs der Marktprozesse – das war implicite ohnehin schon durch das Transparenzpostulat anerkannt –, sondern sie gewinnt erhebliche Bedeutung auch für die theoretische Betrachtung dieser Prozesse, da sie nun zu selbständigen Problemen führt.«[5]

Albert versucht zu klären, welche Konsequenzen als Belohnungen angesehen werden – wie die »aktive Suche nach gewinnbringenden Gelegenheiten« in einer Verhaltenstheorie formuliert werden kann. Wenn sowohl der lerntheoretische als auch der teleologische, auf ein Erwartungs-Bewertungsschema gegründete Ansatz die unmittelbare Reizsituation überakzentuieren, in dem sie Individuen als reaktive, immer wieder in Ruhezustände zu-

---

5 Hans Albert, Erwerbsprinzip und Sozialstruktur, in: Jahrbuch für Sozialwissenschaft 19, 1968, S. 27; zur Kritik der Gewinnmaximierung vgl. Albert, a.a.O., S. 20 ff.; und Talcott Parsons, Die Motivierung des wirtschaftlichen Handelns, in: Beiträge zur soziologischen Theorie, Neuwied 1964.

rückkehrende Organismen beschreiben, liegt die Lösungsstrategie in einer Erklärung des Übergangs zu neuen Aktivitäten – eine Erklärung der Aktionspfade aus Motivation, Erwartung und der Attraktivität von Zielen. Die Nullpunkte dieser Bewertungsskalen finden sich in der Sozialstruktur. Die aus antagonistisch kooperierenden Koalitionen hervorgehenden Strategien, wie sie beispielsweise für die Entscheidungen von Unternehmen typisch sind, differenzieren sich nach unterschiedlichen Milieus.

»Die allgemeine Hypothese des Machtstrebens führt also je nach der Eigenart der institutionell bestimmten Umgebungen, in denen sich die betreffenden Organisationen zu behaupten haben, zur Ableitung verschiedener Weisen des Problemlösungsverhaltens, die sich an teilweise unterschiedlichen Kriterien orientieren, und zwar ganz einfach deshalb, weil die Existenz- und Funktionsbestimmungen dieser Gebilde und damit die Grundlagen ihrer Macht jeweils verschieden geartet sind.«[6]

Verhaltensmaximen, die durch die Institutionalisierung eine relative Konstanz gewonnen haben, werden zu historisch variablen Tatbeständen, auf deren Dynamik sich die Analyse richtet. Obgleich Albert in diesem Zusammenhang die Bedeutung von Interessenlagen und Machtbeziehungen betont, hält er jedoch an einem methodologischen Individualismus fest, der Verhalten allein im Rahmen von Motivlagen und Wertorientierungen zu lösen sucht.

»Angesichts des Machtstrebens sozialer Gebilde scheint das individuelle Verhalten mehr oder weniger verschwunden zu sein. Das ist aber keineswegs der Fall. Diese ganzen Vorgänge müssen natürlich durch spezifisch motiviertes Verhalten individueller Personen zustande kommen, die sich in verschiedener Weise und in verschiedenem Grade mit der Organisation, der sie angehören, und mit deren Interessen identifizieren, die diese Interessen auch, unter Umständen sehr verschieden, interpretieren und die verschiedene Machtpositionen und damit auch verschiedene Durchsetzungsmöglichkeiten für ihre Deutung haben.«[7]

Albert verfolgt jedoch diese Reflexion auf das faktische Substrat und die unterschiedlichen Handlungschancen nicht weiter. Seine Intention gilt einer auf nomologische Verhaltenshypothesen gegründeten »allgemeinen Sozialtheorie«, einer Quasi-Theorie, die

6 Hans Albert, a.a.O., S. 59.
7 Hans Albert, a.a.O., S. 59.

falsifizierbare, auf Rahmenbedingungen hin relativierte Hypothesen enthält, die prinzipiell in Widerlegungsversuchen an Tatsachen scheitern können. Der empirische Gehalt einer Theorie wächst mit den potentiellen Falsifikationen. Informative Theorien scheiden demzufolge alle möglichen Basisaussagen in konträre und konforme Fälle. Kriterien der Bewährung werden Strenge und Ergebnis der Prüfung. Falsifikationsversuche, die den Datenkranz einbeziehen, können folgerichtig in dieser Perspektive eine Entscheidung zwischen rivalisierenden Theorien und die Chancen neuer Erkenntnisse außerhalb des Halbschattens von »Manifestationstheorien der Wahrheit« (Popper) herbeiführen.[8]

Diese Quasi-Theorie führt programmatisch das Marktverhalten auf motivationsgesteuerte und kontrollierte Mechanismen zurück, die ihrerseits von der Institutionalisierung von Verhaltensweisen abhängen. Sie versucht damit, idealtypische Erklärungsskizzen für die Diskussion alternativer Technologien zu gewinnen. Ihren strengen methodologischen Ansprüchen scheint auch die von Albert als Beleg herangezogene, von Lionel Festinger formulierte Theorie kognitiver Dissonanz zu entsprechen. Ich

8 Gerd Fleischmann hat die »wahren und falschen« logischen Folgen dieses Theorietypus erläutert. »Läßt sich nun von t_2 feststellen, daß ihr Falschheitsgehalt zumindest nicht größer ist als der von t_1, während der Wahrheitsgehalt von t_2 den von t_1 übertrifft, so kann man offenbar sagen, daß t_2 der Wahrheit näher kommen kann als t_1. Dabei wird t_2 zugleich auch die empirisch gehaltvollere Theorie sein, da aus einer solchen mehr Aussagen folgen, und damit möglicherweise mehr Wahrheit als aus einer empirisch weniger gehaltvollen.« Ein instruktives Beispiel dafür sind die Konsumtheorien von Duesenberry und Keynes. Nach der keynesianischen Theorie ist die Sparquote der Haushalte eine Funktion des absoluten Haushaltseinkommens; nach Duesenberry ist die Sparquote langfristig eine wachsende Funktion der Stellung der Haushalte in der Einkommensverteilung. Keine der beiden Theorien kann Unterschiede der makroökonomischen Sparfunktion in verschiedenen Volkswirtschaften erklären. In einer Budgetuntersuchung von Haushalten der USA haben sich jedoch beide Theorien bewährt; sie erklären die Unterschiede, daß die Sparquote umso höher ist, je höher das Haushaltseinkommen war; eine Längsschnittanalyse für die Jahre 1879–1928 zeigt eine bemerkenswerte Konstanz der makroökonomischen Sparquote; obwohl das Einkommen der Haushalte zugenommen hat. »Weil Duesenberrys Theorie dort versagt, wo auch die keynesianische nicht ausreicht ..., sich aber ... auf einem Anwendungsgebiet (Entwicklung der langfristigen Sparquote) bewährte, auf dem die keynesianische Theorie versagte, wird man vermuten dürfen, daß der Falschheitsgehalt der Theorie von Duesenberry nicht größer ist als der der keynesianischen Theorie, daß aber der Wahrheitsgehalt von Duesenberrys Theorie größer ist und daß sie daher der Wahrheit näher kommt.« (G. Fleischmann, Nationalökonomie und sozialwissenschaftliche Integration, Tübingen 1966, S. 24 f.

diskutiere sie unter dem Gesichtspunkt, ob die von ihr beschriebenen Abstraktionsmuster, welche ursprünglich die affektiven Strukturen von Gruppen abbilden, auf formale Organisationen oder auf Gesellschaftssysteme übertragen werden können.

3.2 Kognitive Dissonanz und Interpretiergemeinschaften

Die Theorien sozialer Wahrnehmung und kognitiver Dissonanz sind auf die in weitgespannten Normensystemen organisierten Attitüden bezogen, die orientierte Dispositionen gegenüber der Umwelt erlauben. Das Individuum strebt, so lautet Festingers Ausgangshypothese, eine innere Konsistenz zwischen Meinungen, Einstellungen und Verhaltensweisen an: ein »triebähnlicher Zustand« versucht das psychologische Unbehagen (»psychological discomfort«) zu überwinden, das Festinger zufolge schon dann entsteht, wenn sich zwei kognitive Elemente widersprechen.[1]

Festingers Theorie verknüpft Attitüden mit manifestem Verhalten. Sind zwei in relevanter Beziehung stehende kognitive Elemente nicht widerspruchsfrei, versucht das Individuum bewußt Informationen und Situationen zu vermeiden, die diese Dissonanz steigern könnten. Sie tritt insbesondere nach der Entscheidung zwischen zwei oder mehr Alternativen auf (»post decision dissonance«).[2] Die getroffene Entscheidung ist dissonant mit den kognitiven Elementen, die den positiven der abgelehnten und den negativen Eigenschaften der gewählten Alternativen entsprechen.

Die Größe dieser Dissonanz ist eine Funktion aller nach ihrer Bedeutung gewichteten dissonanten Elemente. Reduktion von Dissonanzen erfolgt nach drei Richtungen: durch die Änderung eines »behavioral cognitive element«, den Wechsel der sozialen und personalen Umwelt oder das Hinzufügen neuer konsonanter Elemente. Die Strategie der Dissonanzreduktion steuert die Organisierung der Wahrnehmung: das Individuum versucht, Belohnungen zu maximieren, die Realität zu verleugnen, gemäß seinen Wertvorstellungen zu handeln oder dissonante Elemente umzugruppieren.

---

1 Lionel Festinger, A Theory of Cognitive Dissonance, Evanston 1957; vgl. auch F. Heider, The Psychology of Interpersonal Relations, 1958; C. E. Osgood, Cognitive Dynamics in the Conduct of the Human Affairs, 1960.

2 Vgl. Kurt Lewin, A Dynamic Theory of Personality, New York 1955.

Diese Aussagen können durch Annahmen, die der Theorie der sozialen Wahrnehmung entlehnt sind modifiziert werden. Ausgangspunkt ist die von Bruner und Postman entwickelte Hypothesentheorie, die drei Stufen unterscheidet: Erwartung, Aufklärung über die Umwelt, Bestätigung oder Ablehnung der Hypothese.[3] Bei der Überprüfung wird die Erwartung, etwas Bestimmtes zu sehen, mit dem Aufschluß über die Umwelt konfrontiert: Widerspruch führt zur Berichtigung. Die Ausprägung der Hypothese hängt von der Häufigkeit vergangener Bestätigungen, dem Fehlen alternativer Hypothesen und der kognitiven oder sozialen Einbettung ab: je stärker die Hypothese ist, um so weniger konsonante Informationen sind zu ihrer Bestätigung nötig und um so größer muß die ablehnende oder entgegengesetzte Information sein, die sie widerlegen könnte. In dem Streben nach konsonanter Information interpretiert das Individuum Informationen, die die Dissonanz verstärken, falsch oder wertet sie ab. Sozialer Kontakt selbst ist selektiv. Gesellschaftssysteme können als auf bestimmte Interpretationstoleranzen festgelegten Interpretiergemeinschaften betrachtet werden.

»Das Vorhandensein von Dissonanz wird dazu führen, andere zu suchen, die der Erkenntnis zustimmen, die man haben oder beibehalten möchte, und wird auch zu der Einleitung von Kommunikations- und Beeinflussungsprozessen führen, die mehr soziale Unterstützung bewirken sollen.«[4]

Die Dissonanzreduktion erfolgt dem sozialen Kontext, in dem sich ursprünglich die Bedeutung kognitiver Elemente herstellt. Die Größe der Dissonanz hängt davon ab, ob objektive Fakten und viele Gruppenmitglieder der Meinung widersprechen. Der Erfolg des Versuchs der Dissonanzreduktion entspricht einem

---

3 J. S. Bruner und L. Postman, Perception, Cognition and Behavior, in: J. S. Bruner und D. Kech (Hrsg.), Perception and Personality, Durham 1950.
Die verschiedenen Aspekte der Wahrnehmung können als Selektivität, Organisation, Akzentuierung und Fixation beschrieben werden.
Selektivität meint, daß wir nach unseren Interessen und Wertsetzungen auswählen: Wörter werden zum Beispiel schneller erfaßt, je höher der Wert ist, den das Wort für den einzelnen repräsentiert. *Organisation* bezieht sich auf die sinnvoll gestaltete Wahrnehmung – einem Kompromiß zwischen der objektiven Reizgegebenheit und dem erwartungsbedingten Erfassungsstreben. *Akzentuierung* belebt das Reizfeld differentiell. *Fixation* bezeichnet die Tendenz, die Umgebung möglichst gleichbleibend wahrzunehmen.

4 Lionel Festinger, a.a.O., S. 267.

Prozeß sozialer Beeinflussung. Soziale Unterstützung wird leicht erreicht, wenn eine große Zahl von Personen in der gleichen Situation ist und alle der gleichen Dissonanz unterliegen.

Festinger erweitert die These dahingehend, daß das, was er »Massenphänomene« nennt, von anderen Formen der Dissonanzreduktion nicht prinzipiell verschieden sind: werden viele Menschen mit einer Information konfrontiert, die Dissonanz zwischen den entsprechenden korrespondierenden Elementen und einer bestehenden gemeinsamen Überzeugung hervorruft, wird sie durch Änderung der Überzeugung völlig verschwinden. Diese Regeln können daher, und diesen Versuch hat Karl D. Hondrich unternommen, auf die Analyse »sozialkultureller, sozialstruktureller und sozialkonjunktureller Prozesse« nach einer tautologischen Umformung übertragen werden. Gesellschaftliche Statik kann dann als Konsonanz zwischen einer wahrgenommenen Verfügbarkeit und der Bewertung von Wohlstand beschrieben werden: Verfügung über Güter und Ansprüche stimmen überein, Normabweichungen können im Rückgriff auf traditionale Normen korrigiert werden, ohne den tradierten Identifikationszusammenhang zu durchbrechen. Erst die mit »wirtschaftlicher Entwicklung« verbundene Innovation, die sich als Erzeugung neuer Güter und Einübung neuer, aus qualifizierter Arbeitsteilung entstehende Verhaltensweisen erläutern läßt, durchbricht die Kodifizierung und begründet zunächst einen interpersonalen Konflikt. Von einer Erklärung des Entwicklungsstandes bei Einführung der Neuerung, der Zeitspanne, des Ansehens wie der Positionen der Initiatoren verspricht sich Hondrich eine Erklärung der Transformationen zu sozio-kulturellen Konflikten.

»a) Je größer die Dissonanz zwischen der wahrgenommenen Verfügbarkeit und der Bewertung von Wohlstand, umso größer der Druck, die Dissonanz aufzulösen.

. . . . .

. . . . .

d) Die passive Lösung besteht in der Veränderung der Bewertung von Wohlstand, die damit der veränderten Wahrnehmung angepaßt wird: kultureller Wandel. Der Konflikt wird nicht geäußert, manifestiert sich weder als intrapersonaler noch als sozialer Konflikt; er wurde als *latenter intrapersonaler* Konflikt gelöst.

e) Die aktive Lösung liegt in der Weitergabe von Dissonanz in der anderen Richtung: die Dissonanz zwischen Wahrnehmung und Bewertung wird durch die Produktion von Handlungsmotivation reduziert; damit entsteht Dissonanz in der neuen Dimension: zwischen Handlungsmotivation und tatsächlichem (wahrgenommenem) Handeln.«[5]

Sozial nennt Hondrich einen Konflikt dann, wenn er sich in einem Handeln gegen andere Personen oder Personenkategorien äußert. Die Wahrscheinlichkeit eines solchen Verhaltens wächst mit der Erfolgsaussicht. Das Konfliktverhalten ruft Gegenmotivationen und Gegenhandeln hervor, das um so wahrscheinlicher ist, je größer die eigene Macht eingeschätzt wird. Industrielle Gesellschaften werden gestützt durch die ideologische Begründung des Reichtums durch Leistung, welche die traditionalen Gleichheitsnormen und die negative Bewertung ungleich verteilter Güter abbaut. Ähnliche Aussagen lassen sich für den »mit Belohnungen« verbundenen Austausch von Gütern finden. Malewski erläutert es am Beispiel der Aussage, daß der Preisanstieg eines Gutes ein zunehmendes Angebot bewirke.

»a) Je höher der Wert der infolge eines bestimmten Verhaltens erzielten Belohnung, umso häufiger tritt dieses Verhalten auf.
b) Die Geldmenge, die man für ein bestimmtes Gut oder eine bestimmte Dienstleistung erhält (d. h. der Preis dieser Ware oder der Lohn), wirkt als Belohnung.
c) Keine anderen Bestrafungen übertreffen den Wert einer potentiellen Belohnung (eines erhöhten Preises oder Lohnes).«[6]

Die Wiederholung einer spezifischen Stimulussituation ruft ähnliche Handlungen hervor, Gratifikationen erwachsen mit dem zugeschriebenen Wert von Handlungen und Wiederholungen. Die Problematik dieser Hypothesen, die »Sozialverhalten« als Projektion individuellen Handelns ansehen, liegt einmal darin, daß aus einem allgemeinen System von Aussagen über menschliches Verhalten, »weniger allgemeine Aussagen« nur mit zusätzlichen Annahmen über gegebene Bedingungen logisch deduziert werden können. Andrzej Malewski verfolgt dieses Programm mit der Intention einer allgemeinen und doch mit Randbedingungen differenzierten Handlungstheorie. Er knüpft den wissenschaftlichen Fortschritt an die logische Operation der Deduktion, die differenzierende Erklärungen leisten soll. Die Aussage, daß sich populäre oder angesehene Mitglieder einer Gruppe wechsel-

---

5 Karl Otto Hondrich, Wirtschaftliche Entwicklung, soziale Konflikte und politische Freiheiten, Frankfurt 1970, S. 188.
6 Andrzej Malewski, Verhalten und Interaktion, Tübingen 1967, S. 125.

seitig sehr häufig wählen,[7] kann durch die *allgemeinere* Aussage erklärt werden, daß die Häufigkeit der Wahl mit der Gratifikation des Verhältnisses wächst und der *Annahme*, daß Kontakte mit populären Gruppenmitgliedern größere Gratifikationen einbringen. Während die Aussage ein allgemeines Verhältnis formuliert, spezifiziert die Annahme einen jeweiligen Kontext und bewahrt vor unzulässigen Verallgemeinerungen. Malewski zeigt, daß die allgemeine Interaktionspräferenz beispielsweise durch Solidarität der Mitglieder von niedrigem Status relativiert werden kann und macht daher ihre Geltung von der Einschränkung abhängig, daß »für jede Art von Mitgliedern der Kontakt mit populären lohnender ist als mit unpopulären Mitgliedern«. Aus der Erörterung dieser Beispiele gewinnt Malewski das methodologische Postulat:

1. »Wenn wir eine theoretische Aussage dadurch erklären können, daß wir sie aus allgemeineren, auf Ergebnisse systematischer Forschungen gestützten Aussagen und aus Annahmen über spezifische Bedingungen, die nicht immer erfüllt sind, deduzieren, sollten wir die Tatsache akzeptieren, daß die erklärte theoretische Aussage wahrscheinlich nicht genau wahr ist.«[8]

Doch selbst dann, wenn wir, wie es Malewski vorschlägt, erklärende in konditionale Aussagen umformulieren und die Grenze der Anwendbarkeit komparativer Untersuchungen in Situationen zu bestimmen suchen, in denen die spezifischen Bestimmungen nicht gelten, das Explanandum mithin nur in der Dimension statistischer Wahrscheinlichkeit mit den Ausgangsbedingungen verknüpfen, ergibt sich ein weiteres Problem: eine Uminterpretation von Normen oder eine Umstrukturierung der Wahrnehmungen selbst, wie Hondrich beiläufig zugesteht, ist nicht unabhängig vom sozialen Wandel im »materiellen Bereich«, oder geht in grenznutzentheoretischen Einschätzungen nicht auf. Die Erklärung menschlichen Verhaltens in Tauschkategorien ist freilich darauf angewiesen, daß Zielorientierungen gegeben sind und Mittel zwanglos darauf bezogen werden können. Während im ökonomischen Tausch Preise vertraglich fixiert werden, sind »intrinsic rewards« im sozialen Austausch weder eindeutig bestimmbar noch einklagbar: er ist vielmehr auf die Schonräume

7 Vgl. z. B. L. Festinger, S. Schachter, K. B. Back, Social Pressures in Informal Groups, New York 1950.
8 Andrzej Malewski, Verhalten und Interaktion, a.a.O., S. 26.

konventionalisierter Freiwilligkeit angewiesen oder gezwungen, die Latenz physischer Gewalt in der negativen Sanktion zu untersuchen. Dann aber kann ein sozialpsychologisch gewendeter Utilitarismus kein schlüssiges Erklärungsmuster für die Integration von Gesellschaftssystemen sein. Die Kategorien der Dissonanztheorie beziehen sich ohnehin nur auf wenige Faktoren, Motivation und Zwang werden nicht thematisch. Der beschränkte Charakter der Theorie liegt in ihrer Formalisierung und ihren definitorischen Leerformeln. Festinger selbst hat diese Unzulänglichkeit charakterisiert:

»Die Ungenauigkeit der Definition von Dissonanz, nämlich daß zwei Elemente dissonant sind, wenn – betrachtet man sie für sich – das Gegenteil des einen aus dem anderen folgt, gründet in dem Ausdruck ›folgt aus‹ und ›betrachtet man für sich‹. ... *Die Spezifizierung der Bedeutung des Ausdrucks ›für sich allein betrachtet‹ läuft auf eine Spezifizierung der Prozeduren hinaus, mit denen man bestimmt, ob Dissonanz besteht oder nicht.«* [9]

Ungeklärt bleibt, wie Dissonanz inhaltlich überhaupt qualifiziert werden kann; ob für eine bestimmte Person das Element A aus dem Element B folgt; warum nicht auch andere motivationale Faktoren oder »Belohnungsarten« wirksam werden können.[10] Indem die empirisch gehaltvollen Sozialtheorien jene Annahmen kritisieren, die in ihrem Verständnis normativ eine Gesellschaftsordnung voraussetzen, bewahren sie daher nur die *Intention* einer logisch-semantisch verfahrenden Ideologiekritik und einer Analyse von Machtkonstellationen. Kritik der ökonomischen Ideologien und die Verbreitung von Prognosen verbinden sich jedoch zu einer wertfreien Sozialwissenschaft, die sich auf die Beliebigkeit persönlicher Entscheidungen gründet und in Verbindung mit einer »rationalen Politik« Produktionsfaktoren institutionell steuern soll. Wenn Albert Marktpreise als Probleme sozialer Macht ansieht, als Resultate eines konfliktreichen Zusammenspiels von in sozialen Gebilden organisierten Rollen, die auf Interesse und Macht gegründet sind, überschreitet diese *Forschungsstrategie* tendenziell die Grenze gegenüber einer politischen Ökonomie von Herrschaftssystemen.

---

9 L. Festinger, a.a.O., S. 279 (Hervorhebung von mir, C. R.); vgl auch Hans Albert, Theorie und Prognose in den Sozialwissenschaften, in: Schweizerische Zeitschrift für Volkswirtschaft und Statistik, 1957, S. 57 ff.

10 Vgl. Andrzej Malewski, Verhalten und Interaktion, Tübingen 1967, S. 72 ff.

»... Produktion, Verteilung und Bedarfsdeckung in der Marktwirtschaft (sind) als Nebenprodukte eines Kampfes um soziale Machtstellungen, um kaufkraftabsorbierende Machtpositionen, anzusehen und als Ausfluß des Ergebnisses solcher Konflikte, nämlich der jeweiligen Machtverteilung im Marktbereich, die von der Machtstruktur der übrigen Bereiche der Gesellschaft nicht zu trennen ist. Das Machtphänomen, das in der neoklassischen Konzeption mit guten Gründen als Fremdkörper erscheinen muß, wird damit zum Zentralproblem einer Nationalökonomie, die als integrierender Bestandteil der Soziologie aufzufassen ist.«[11]

Albert betont den Gesichtspunkt, daß institutionelle Vorkehrungen und soziale Ordnungen im Hinblick auf realisierbare Alternativen analysiert werden müssen. Eine historisch fundierte Sozialkritik und Sozialtechnologie kann mithin zur Grundlage einer rationalen Politik werden, die den Preismechanismus nicht als Idealmodell eines rationalen Wirtschaftsablaufes, sondern als »komplexen Tatbestand« begreift, der revisionsfähig ist.
An die Stelle der ökonomischen Idee der immanenten Rationalität tritt die Untersuchung von sozialen Wirkungszusammenhängen und die kritische Anwendung ihrer Resultate bei der Analyse ordnungspolitischer Möglichkeiten.[12] Bringt man wie Gunnar Myrdal in das Programm einer Wirtschaftstechnologie die Untersuchung des »wirtschaftlichen Interessenfeldes« und der Distribution von Macht ein, kann sie als »Kriegsspiel« mit wechselnden Strategien aufgefaßt werden. Objektivität gewinnt diese Wissenschaft durch expliziten Bezug auf Interessen, konkrete Wertprämissen, welche die Form motivierender Attitüden annehmen, die von aufgeklärten Technokraten erschlossen oder erst propagandistisch geschaffen werden.[13] Die aktive Konkurrenz folgt dann der Logik eines sozialen Spiels mit informierten Partnern, die versuchen ihre wechselseitigen Reaktionen abzuschätzen und ihre Informationsvorsprünge zu erweitern.
Auf einer formalen Ebene werden die Wahlakte von Subjekten auf Machtstrukturen und Planungsstrategien bezogen.
Mit der Beschränkung der Ökonomie auf die Grenzen des methodologischen Individualismus und eine an dem nomologisch deduktiven Erklärungsmodell orientierte Verhaltenswissenschaft

11 Hans Albert, Marktsoziologie ..., a.a.O., S. 496.
12 Hans Albert, a.a.O., S. 242.
13 Vgl. Gunnar Myrdal, Das politische Element in der national-ökonomischen Doktrinbildung, Köln 1963.

ist diese Perspektive auf »Macht« als zentrale Kategorie einer politischen Ökonomie jedoch eigentümlich beschränkt: ohne die Analyse von Interesse und sozialer Lage, deren Bedeutung Albert nicht konsequent reflektiert, kann Herrschaft nur als Balance kognitiver Elemente innerhalb wechselnder Sozialmilieus aufgefaßt werden, denen sie sich anpaßt. Diese Tendenz, den Wertkonsensus gleichsam als Dauerlegitimation von Herrschaft nicht in Frage zu stellen, sondern als funktionalen Bestandteil jedes sozialen Systems schon vorauszusetzen,[15] kennzeichnet die von Albert angedeutete, von Talcott Parsons ausgeführte Begründung der politischen Ökonomie als Teil einer allgemeinen Handlungstheorie.

15 Vgl. zum Beispiel Ralf Dahrendorf, Soziale Klassen und Klassenkonflikt, Stuttgart 1957; ders., Gesellschaft und Freiheit, München 1961.

4.1 Marktrollen und Subsysteme

Den funktionalistischen Rahmen für sozialwissenschaftliche Theorien, der im Medium logisch äquivalenter Konzepte auf ökonomische Subsysteme übertragen werden kann, hat Talcott Parsons ausgearbeitet. Er zieht die Konsequenz daraus, daß intentionales Handeln in elementarem Verhalten nicht aufgeht.[1] Die Auffassung gesellschaftlicher Normen als Strukturen in selbstgeregelten Systemen ermöglicht die Analyse gesellschaftlicher Prozesse über den empirischen Zusammenhang organisierter Verhaltenserwartungen und den sinnvollen Zusammenhang der Handlungen von Individuen oder Gruppen. Um die funktionalistischen Grundannahmen zu rekonstruieren, gehe ich daher von dem Interaktionsparadigma aus. Parsons kritisiert ein mit der bürgerlichen Gesellschaftsformation sich entwickelndes Wissenschaftsverständnis, das Kategorien zur Analyse menschlicher Handlungen festlegt: dieser »Positivismus«, für den die *Norm der Rationalität* vorherrschend ist, begreift 1) Interaktionen nach dem Muster zweckrationalen Handelns und bezieht sich 2) auf die unverbundenen Zwecksetzungen selbstinteressierter Einzelner. Handlungen sind rational, wenn sie von einer wissenschaftlich angeleiteten Interpretation der Situation ihren Ausgang nehmen; auf dem verläßlichen Hintergrund sich kumulierenden Wissens kalkuliert der Handelnde Mittel und Zwecke. Die »rational norm of efficiency« ist auf die Wahl der Mittel zur Realisierung kontingenter Zwecke eingeschränkt.

»Wants are assumed to be subjective in a double sense. On the one hand, each individual creates his wants on his own initiative – they are outside the range of ›natural‹ determinism; on the other hand, they are private to each individual.«[2]

---

1 Zur systematischen Rekonstruktion der Kategorien vgl. Enno Schwanenberg, Soziales Handeln – Die Theorie und ihr Problem, Bern 1970.
2 Talcott Parsons, The Structure of Social Action, New York 1968, S. 344.

Bei unverbundenen Zwecksetzungen selbstinteressierter Einzelner stellt sich die Frage nach den empirischen Bedingungen der Systemintegration über die Verschränkung einzelner Handlungen. Die von Parsons vorgeschlagene Lösung des »Hobbesian problem of order« liegt nicht in der Einsetzung einer souveränen Gewalt durch Vertrag, sondern in dem nicht-kontraktuellen Moment des zweckrational motivierten Vertrags: allgemeine Normen, die von den Individuen internalisiert und nicht nur wegen Sanktionsdrohungen anerkannt werden. Die These einer normengeleiteten Interaktion geht über die liberalen Lösungen hinaus. In dem Rollenschema und der Interpretation ökonomischer Rationalität finden sich jedoch die instrumentalistischen Momente einer Substitution von Praxis durch Technologie, von Herrschaft durch Systemgleichgewicht.

Das Rollenschema beschreibt individuelle und kollektive Akteure, die die Handlungsenergien ihrer biologischen Grundausstattung entnehmen und Orientierungen aus Interpretationen ihrer Bedürfnisstrukturen und gegebener Situationen gewinnen. Grundprinzip ist eine Maximierung von Gratifikationen.

»To the actor all problems may be generalized in terms of the aim to obtain an *optimum of gratification.* ... The optimum of gratification is the best that can be obtained from the existing conditions, given the existing set of need-dispositions and the available set of objects. The personality may thus be conceived as a system with a persistent tendency toward the *optimum* level of gratification.«[3]

Im menschlichen Handeln gewinnt der Aspekt der Auswahl und Erwartung an Bedeutung. Parsons differenziert ihn unter drei Aspekten: der Handelnde bewertet in der kathektischen Orientierung die Bestandteile der Situation in ihrer Bedeutung für Triebe und Bedürfnisse, bestimmt in der kognitiven Orientierung die Objekte auf der Basis seiner Bedürfnisstruktur und wägt in der evaluativen Orientierung konkurrierende Objektbesetzungen gegeneinander ab; diese drei Modi beziehen sich auf die

3 Talcott Parsons, Toward a General Theory of Action, a.a.O., S. 121; Handlung ist »a process in the actor-situation system which has motivational significance to the individual actor, or, in the case of a collectivity, its component individuals. This means that the orientation of the corresponding action processes has a bearing on the attainment of gratifications or the avoidance of deprivations of the relevant actor, whatever concretely in the light of the relevant personality structures these may be.« (T. Parsons, The Social System, a.a.O., S. 4.)

Befriedigung von Bedürfnissen. Abstrakte Ebenen der Handlungssysteme sind soziale und nicht-soziale Objekte.[4]
Ego muß in die eigenen Handlungsmöglichkeiten faktische Verhaltensweisen und Erwartungen einbeziehen, die alter über das Verhalten hegt: die Interaktion beschreibt ein Verhältnis mit wechselseitigen Invasionschancen in die Bedingungen der Bedürfnisbefriedigung; gleichwohl ist zweckrationale Vernunft für das Parsonssche Modell konstitutiv: ego und alter greifen wechselseitig in ihre Interessensphäre nur im Rahmen einer klugen Anpassung ein, die Rücksicht auf Strategien und Erwartungen des Gegenübers nimmt;[5] verallgemeinerte Erfahrungen, »Symbole«, leiten Interaktion innerhalb eines Zeithorizonts.

»There is a *double contingency* inherent in interaction. On the one hand, ego's gratifications are contingent on his selection among available alternatives. But in turn, alter's reaction will be contingent on ego's selection and will result from a complementary selection on alter's part. Because of this double contingency, communication, which is the precondition of cultural patterns, could not exist without both generalization from the particularity of the specific situations (which are never identical for ego and alter) and *stability* of meaning which can only be assumed by conventions observed by both parties.«[6]

Die Rücksicht auf Erwartungen und Strategien des Gegenübers beschränkt die Orientierungen auf eine verständige Anpassung – eine zweckrational aufgefaßte politische Klugheit, die ge-

---

4 Diese analytische Trennung bringt Parsons auch in die Klassifikation von Gütern ein. »Applied to the goods-services distinction, a good is an object or event of economic value which is significant as quality; a service is an object or event of economic value which is significant as performance. Of course, this distinction overlaps with that between physical and social objects, since only social objects can perform and have intentions. Yet it differs in so far as it permits the assessment of those aspects of social objects defined as goods or qualities. Thus, in the slavery example, the significance of buying and selling slaves in the market is as ›goods‹, i. e., independent of their performance; on the other hand, the working contribution of slaves on a plantation is still a ›service‹, i. e., performance in its economic significance.« (T. Parsons und Neil J. Smelser, Economy and Soziety, New York 1965, S. 12.)

5 Vgl. T. Parsons, The Social System, a.a.O., S. 204–5: »An established state of a social system is a process of complementary interaction of two or more individual actors in which each conforms with the expectations of the other's in such a way that alter's reaction to ego's actions are positive sanctions which serve to reinforce his given need-dispositions and thus to fulfill his given expectations.«

6 Talcott Parsons et al., Toward a General Theory of Action, a.a.O., S. 16.

waltsame Konflikte sublimiert. Die Reflexion der Handelnden aus der Dimension der Zeit auf der Grundlage allgemeiner Erfahrungen verbindet die Symbolentstehung mit Interaktion: über die Besonderheit der Situation hinaus müssen Zeichen verbindlich sein, deren Befolgung Deprivation verhindert. Symbolentstehung aus interessegeleiteter Interaktion und Kontrakt sind nicht zu trennen. Symbole selbst haben eine normative Dimension, da die Beachtung der damit erzielten Übereinkunft zur Bedingung verläßlicher Antizipationen wird. Das zunächst instrumentalistisch begründete Interaktionsverhältnis muß daher um kontraktuelle Motive erweitert werden, die ein Kalkül erlauben und die Möglichkeit enttäuschter Erwartungen zumindest beschränken. Das Symbolsystem setzt eine enge Kopplung von Normen und Bedürfnisstrukturen und eine Mutualität von Gratifikationen voraus, ohne jedoch eine Gleichverteilung zu unterstellen.

»It should be clear that as an ideal type this interaction paradigm implies *mutuality* of gratification in a certain sense, though not necessarily equal distribution of gratification.«
»... conformity as direct mode of the fulfilment of his own need-dispositions tends to coincide with conformity as a condition of eliciting the favorable and avoiding the unfavorable reactions of others.«[7]

Die allgemeinen Paradigmata können auf eine Theorie des ökonomischen Subsystems übertragen werden. Angebot und Nachfrage sind ein besonderer Fall der Unterscheidung zwischen »performance« und »sanction« der allgemeinen Theorie; sie folgen der gleichen Logik.

»Supply is the ›production‹ of utility or economic value; each act of the supplier is interpreted by the economist in terms of its contribution to the functioning of the economy or one of its sub-systems, e. g., the production of a particular class of goods or services. Demand is the disposition to ›pay‹, in a process of market exchange, for the availability of such goods and services.«[8]

7 Talcott Parsons et al., Toward a General Theory of Action, a.a.O., S. 106, und ders., The Social System, New York 1964, S. 38.

8 Talcott Parsons und Neil J. Smelser, Economy and Society, London 1964, S. 9. »The peculiarity of economic theory ... is *not* the separate class of variables it employs but the *parameters* which distinguish the special case ... we call economic in the use of the general variables of social theory from the other important types of special case.« (a.a.O., S. 6.) Vgl. auch T. Parsons, R. F. Bales und E. A. Shils, Working Papers in the Theory of Action, 1953; Neil J. Smelser, Soziologie der Wirtschaft, München 1968.

Ähnliche Parallelen finden sich in der Klassifikation von Gütern und Dienstleistungen als physikalischen und sozialen Objekten; kulturelle Objekte erscheinen in der »Information«. (Vgl. Schema S. 84.)

Die abstrakten Maximierungsannahmen der reinen Theorie bezieht Parsons auf das institutionalisierte Wertsystem und die Funktionen der Subsysteme einer Gesellschaft: ökonomische Aktivität entfaltet sich im Rahmen von Präferenzen, Technologien und Organisationen. Die Parallelen zu der auf Interaktionen gegründeten allgemeinen Theorie sozialer Systeme erläutert er an der Gleichartigkeit von Systemtypen und Kategorien.

»Utility, then, is the *economic value* of physical, social or cultural objects in accord with their *significance as facilities* for solving the adaptive problems of social systems. Wealth is the aggregate of this value for a given social system at a given time... Income is the *rate* of production or reception of such value for a period of time.«[9]

Daher kann er wie Albert die ökonomische Bewertung als einen Mechanismus interpretieren, der die Signifikanz von Ressourcen für Individuen oder Kollektive in die der gesamten Systeme übersetzt.

»... the supply-demand schema as an instance of the performance-sanction paradigm, the goods-services classification as a case of the distinctions between physical and social objects and between qualities and performances, and the similar sociological and economic conceptions of the mutual advantage in exchange.«[10]

---

9 Talcott Parsons and Neil Smelser, a.a.O., S. 22.

10 Talcott Parsons und Neil Smelser, a.a.O., S. 39.
Parsons und Smelser knüpfen an Harrod an, der kategorische und empirische Systeme, die in deren Termini analysiert werden, in Beziehung setzt. »The method of procedure is to take certain elements of the situation as given – namely the preference lists of individuals for goods and services, the terms on which they are willing to contribute their assistance in production and the current state of technology – and to take other elements as unknown, namely the prices of all commodities which will be produced and of factors which will be employed, and the precise methods of production among the variety of those technically possible which will be used. If the elements taken as known were in fact known, it will be possible to write down a number of equations expressing some of the unknowns as functions of the others. The object of this procedure would be to provide means of showing how changes in the fundamental data, desires, etc., will govern the course of events.« (R. F. Harrod, Scope and Method of Economics, in: Economic Journal, Sept. 1938, zitiert nach Parsons und Smelser, a.a.O., S. 14 [Fußnote 1]).

The Functional Imperatives of a System of Action[11]

A Adaptive Instrumental Object Manipulation	G Instrumental-Expressive Consummatory Performance and Gratification
L Latent-Receptive Meaning-Integration and Energy Regulation Tension build-up and drain-off	I Integrative-Expressive Sign Manipulation

Functional Differentiation of the Economy as a System

A Capitalization and Investment Sub-system	G Production-Sub-system-including Distribution and Sales
L Economic Commitments: Physical, Cultural and Motivational Resources	I Organizational Sub-system: Entrepreneurial Function

Key:

A = Adaption	I = Integration
G = Goal Gratification	L = Latent-Pattern Maintenance and Tension Management

Gleichwohl impliziert das institutionalisierte Wertsystem Minima der Organisation – einen Fond von Ressourcen und eine Vertrauensausstattung produktiver Funktionen, die sich unabhängig von wechselnden Preisen oder Sanktionen erhält.

»The adaptive exigencies confronting concrete economic structures may be classified according to our four-problem scheme: (1) in connection with the land factors – physical, cultural and motivational commitments – certain non-economic conditions operate as adaptive exigencies; (2) in connection with the economy's production subsystem, conditions governing labour supply and demand for consumption goods are adaptive exigencies; (3) at the capital boundary non-economic conditions of capital supply and various political regulations upon capitalization are exigencies; and (4) in the case of the

11 Nach Talcott Parsons and Neil J. Smelser, a.a.O., S. 19 und S. 44.

entrepreneurial function, the conditions on which entrepreneurial service is available to the economy and the forms of the ›profit motive‹ among actual and potential entrepreneurs are adaptive exigencies.«[12]

Implizite Voraussetzung ist eine relative Kontinuität der Präferenzsysteme und Produktionsbedingungen – eine stabile Integrationsebene, die von kontraktuell gesicherten Organisationen gestützt wird. Der Vertrag als institutionelle Regelung der Austauschprozesse und das den integrativen Symbolen erst Bedeutung verleihende Wertsystem sublimieren die Interessenkonflikte in bargaining-Prozesse, die sich tendenziell im Rahmen des Systems halten.[13]

4.2 Instrumentelles Handeln und Kontraktbeziehungen

In der Theorie des ökonomischen Subsystems versucht Parsons daher das instrumentalistisch begründete Interaktionsverhältnis mit kontrakttheoretischen Vorstellungen in Zusammenhang zu bringen. Der Kontrakt umfaßt einen Prozeß des »bargaining for advantage« und formelle oder informelle Regeln, denen die Beziehungen der Kontraktparteien folgen. In den Grenzen des ökonomischen Systems bezieht sich Institutionalisierung auf die Regelung von Tauschbeziehungen, auf die Garantie von Rechtsbeziehungen gegenüber »nicht-sozialen« Objekten und auf Beschäftigung. Die Vertragsbeziehungen selbst beschreibt Parsons jedoch in der Perspektive instrumenteller Rollen, deren Struktur sich über eine Reziprozität der Zielerreichung stabilisiert.
Ein integrativer Austauschprozeß ist auf die Symbolisierung primärer Zielobjekte und Erwartungshaltungen angewiesen; natürlicher Bezugspunkt ist die gesellschaftliche Bewertung produktiver Funktionen, die die Wirkungen inhärenter Interessenkonflikte begrenzt und die vertraglich vereinbarten Verpflichtungen mit den von ego und alter repräsentierten Bezugssystemen kompatibel macht. Parsons nennt vier Faktoren, die Entscheidungen in Vertragsverhältnissen beeinflussen:[14] das Interesse an günstigen Austauschbedingungen, das sich auf Güter, Dienstleistungen und kulturelle Werte bezieht (G); Beschränkungen, die durch den Vertrag selbst festgelegt werden und In-

---

13 Vgl. Talcott Parsons, Authority, Legitimation and Political Action, in: ders.: Structure and Process in Modern Societies, Glencoe 1960, S. 175.
14 Talcott Parsons and Neil Smelser, a.a.O., S. 111.

teressen der Kollektive, denen ego und alter angehören (A); ein Gleichgewicht symbolischer Belohnungen (I), und ein allgemeines Wertmuster, in dem beispielsweise die Einschätzung der Produktion verankert ist (L). Organisationen bilden sich durch Austausch und Kontrakt.[15]
Ihre Rollenstrukturen werden durch Motive integriert und im Rahmen hierarchisch gelagerter Autoritätspositionen mit zugeschriebenen Sanktionsmöglichkeiten auf ein gemeinsames Ziel hin interpretiert: sie legen das Handeln antizipatorisch fest und stützen es evaluativ ab.[16]
Der Anpassungsprozeß folgt auf den Organisationswert »Rationalität« bezogenen Mechanismen. Die Hierarchie ordnet gleichsam die verschiedenen Werte in einer Präferenzskala und verbindet sie untereinander durch einen quantifizierbaren Nützlichkeitsindex. Organisation reduziert die komplexen Probleme des Unternehmens und ordnet den administrativen Entscheidungszusammenhang; sie verbindet die möglichen Entscheidungen durch autoritative Kommunikation, die in der Richtung der Informationsvermittlung zum Ausdruck kommt. Diese Struktur hat freiwillige Kooperation der Mitglieder, die auf das wechselseitige Nutzenverhältnis von Individuum und Organisation zurückgeht, zur Voraussetzung. Formalisierte Funktionsbezüge, die auf den unteren Stufen der Hierarchie entsprechend den Kontrollmechanismen eines Computers wirken, stellen die Rationalität der gemeinsamen Entscheidungen her. Da die Entscheidungen, die unter Unsicherheit getroffen werden müssen, einer kybernetischen Analogie zugänglich sind, wendet Raiffa die allgemeine Theorie strategischen Handelns auf das Unternehmen an.[17] Abgesehen von den als instrumentell vorgestellten

15 Talcott Parsons und Neil Smelser, a.a.O., S. 105: »Exchange is the process by which the organization is set up and by which factors of production are incerporated into the organization over its boundaries. Contract is the institutional framework which regulates such processes and defines the limits within which the inputout-put-processes of the firm may operate in a given society.« Vgl. auch Talcott Parsons: Some Ingredients of a General Theory of Formal Organization, in: der.: Structure and Process in Modern Societies, Glencoe 1960.
16 A. Etzioni, Complex Organizations, New York 1964.
17 H. Raiffa, Games and Decisions, New York 1958.
»We shall say that we are in the realm of decisions-making under:
(a) *certainty* if each action is known to lead to a specific outcome,
(b) *risk* if each action leads to one of a set of possible specific outcomes, each outcome occuring with known prohability,
(c) *uncertainty* if either action or both has as its consequence a set of

Entscheidungen der Verwaltung bildet sich die »organizational objective« aus einem bargaining-Prozeß, an dem alle Teilgruppen des Unternehmens beteiligt sind. Sie sind im Interesse eines Ausstoßes, der ihren Nutzerwartungen entspricht, bereit, Leistungen zu erbringen.

»The organizational objective is, indirectly, a personal objective of *all* the participants. It is the means whereby their organizational activity is bound together to achieve satisfaction of their own diverse personal motives.«[18]

Die formale Gleichberechtigung der »Partner« wird freilich durch das Selbsterhaltungsinteresse des Unternehmens überformt: das Gleichgewicht auf einer bestimmten Aktivitätsebene. Die Formulierung des »Organisationswertes« ist auf das fragile Gleichgewicht einer »inducement-contribution utility« bezogen. Vertragliche Abmachungen bringen die Interessen in den verkürzten Perspektiven von Entschädigungen und Arbeitszeit zur Geltung. Teilentscheidungen können zwar in einer Hierarchie zunehmender Spezialisierung zusammengefaßt werden, die Variation der strukturellen Zusammenhänge in externen Situationen erschwert jedoch die Definition des Sollzustandes, die im Rahmen einer Organismusanalogie noch leicht zu bestimmen ist. Gleichwohl bedient sich Parsons der Sprache der Kybernetik. Jedes System, das mit Hilfe von in vier Dimensionen variierenden Werten beschrieben werden kann, tendiert zur Erhaltung eines Sollzustandes. Die Steuerungsmechanismen arbeiten nach dem Modell kybernetischer Regelkreise. Treten mehrere Handlungseinheiten in einen ökonomisch relevanten Zusammenhang, wird eine allgemeine Bewertungsbasis erforderlich: Geld übernimmt die Funktion einer Steuerungssprache. Die Arbeitsteilung ruft das Problem einer Schließung von Rückkoppelungsschleifen hervor. Parsons löst es mit dem Hinweis auf »generalized power«, die über symbolische Mechanismen menschliches Verhalten kontrolliert. Daher nimmt er in der Beschreibung von Rollen und Märkten als Handlungssystemen die instrumentellen und kontrakt-theoretischen Elemente des Interaktionsparadigmas wieder auf: jeder Marktbeziehung liegen Kontrakte zugrunde, die einen je spezifischen Kontext für Rollen festlegen.[19]

---

possible specific outcomes, but where the probabilities of these outcomes are completely unknown or are not even meaningful.« (a.a.O., S. 13).

18 Vgl. J. G. March and H. A. Simon, Organization, New York 1958.

19 Talcott Parsons und Neil Smelser, a.a.O., S. 143 f.:

Parsons kann daher entlang einer unterschiedlichen Ausprägung der AGIL-Komponenten die Variationen von Marktstrukturen soziologisch beschreiben und die Typen des unvollständigen Wettbewerbs systematisch klassifizieren.

The Components of a Market System[20]

	Unit with Economic Primacy		Unit with Non-economic Primacy	
±	Goal-attainment	⇄	Goal-attainment	±
±	Adaptation	⇄	Adaptation	±
±	Integration	⇄	Integration	±
±	Common values	⇄	Common values	±

Ökonomische Funktionen gewinnen ihre relative Bedeutung aus dem Wertsystem und einer gesellschaftlich gedeuteten Funktionenhierarchie. »Rationalität« bezieht sich auf die Organisationsweise und die effektive Zielerreichung, auf Produktion als technische Naturbeherrschung.

»In the case of the economy this paramount goal is *production in the technical-economic sense*. Economic rationality in the value-system sense is thus the valuation of the goals of production and appropriate controls over behaviour in the interest of such goals. The meaning of ›rationality‹ is therefore limited to the orientation of action toward maximal conformity with a norm.«[21]

Die beiden »Operationsmöglichkeiten« des Wertsystems, Internalisierung und Sanktion, formulieren Rollen gleichsam organisatorisch aus.

Das Modell des Arbeitsvertrages bezeichnet für Parsons die Brücke zwischen einer soziologisch und einer psychologisch ge-

---

»In any contractual relationship, and hence in any institutionalized market, we have distinguished four components in the orientation of each of the contracting parties: (1) G, the primary immediate goal sought by the contracting partner, ego; this goal is always a balance of his performance contribution against the sanction-contribution expected from alter; (2) A, the relevant organizational context on both sides of the relationship, adjusted, of course, to the relevant time span of the relationship; (3) I, the diffuse symbolic significances to ego of both G and A on both sides of the contractual relationship; (4) L, the common value patterns which, in their respective ways, ego shares in the interactive context with alter.«

20 Talcott Parsons and Neil Smelser, a.a.O., S. 174.

21 Talcott Parsons and Neil Smelser, a.a.O., S. 176. (Hervorhebung von mir C. R.)

richteten Motivationsanalyse. Es definiert die Wertkomponenten, die die Interessenbasis mit den Zielen von Organisationen und motivationale Subsysteme mit institutionalisierten Rollen verbinden. Wenn aus einem Kontext zwanglos die Relevanz ökonomischer Institutionen, institutionalisierte Wertsysteme und Mittel hervorgeht und sowohl unmittelbare Gratifikationen und differenzielle symbolische Wertungen darauf bezogen werden können, ist Rationalität eine Funktion des

»1) degree to which the relevant action is oriented to a central function in a differentiated economy as such, 2) the degree to which it is in accordance with an appropriate institutionalized and internalized value system of the economy, and 3) the degree to which the action is *integrated* within itself as a system relative to the values of economic rationality.«[22]

Parsons argumentiert in der Dimension eines normativen Dogmatismus. Zwar verweist die der klassischen bürgerlichen Ökonomie entlehnte Annahme einer Knappheit der Mittel auf das Interessensubstrat, das dem »action frame of reference« zugrundeliegt, die Trennung von Rollensystemen und faktischen sozialen Lagen nimmt jedoch ein sozialtechnisches Moment in den theoretischen Ansatz auf: sie betont die Rollenkonformität und mißt Abweichungen nur residualen Charakter bei. Die Interpretationen der von sozialen Rollen nicht absorbierten Bedürfnisse können utopische Vorgriffe auf eine zu bildende Gruppenidentität sein oder der Rechtfertigung triebunterdrückender Instanzen und damit der Legitimation bestehender Herrschaftspositionen dienen.[23]
Indem Parsons sich auf die Elemente des Handelns, »ends, means, conditions and guiding norms« bezieht, verbindet er Wert- und Zweckrationalität. Die Konstruktion einer Vertragstheorie der Normen identifiziert jene selbst mit Rationalität und bringt sie mit der Akkumulation gesellschaftlichen Wissens in Zusammenhang.

»It is this basic solidarity of science and action which is the ultimate justification of the starting point of (this whole study), the role in action of the norm of rationality.«[24]

---

22 Talcott Parsons and Neil Smelser, a.a.O., S. 183.
23 Vgl. Jürgen Habermas, Zur Logik der Sozialwissenschaften, a.a.O., S. 93 ff.
24 Talcott Parsons, The Structure of Social Action, a.a.O., S. 683, ders.,

Die Zweckrationalität kalkulierender Subjekte muß sich interaktiv auf die Rationalität von Werten richten, um Mehrdeutigkeiten zu überbrücken.

»Action systems have properties that are emergent only on a certain level of complexity in the relations of unit acts to each other. These properties cannot be identified in any single unit act considered apart from its relations to others in the same system. They cannot be derived by a process of direct generalization of the properties of the unit act.«[25]

Die Annahme spezifischer Eigenschaften zieht die Konsequenz daraus, daß soziales Handeln mit einer Knappheit der Mittel rechnen muß; daher müssen die individuellen Ansprüche auf Machtausübung einer Regelung unterworfen werden – einer *coercive power* und einer *coercive rationality*. Um das Problem der Macht rational zu bewältigen, muß sie im Bezugsrahmen von Parsons selbst wieder von Werten getragen werden: die Rationalität sozialer Systeme findet sich in einer Hierarchie der normativen Steuerung, die dem Aussprechen eines Sinngehaltes entspricht.

»The solution of the power question ... involves a common reference to the fact of integration of individuals with reference to a common value system, manifested in the legitimacy of institutional norms.«[26]

Dieser Sinngehalt fällt jedoch mit der »Vernünftigkeit« bestehender Systeme zusammen und enthält in sich eine kybernetische Reduktion: Gesellschaft als System, das durch Information und Steuerung Sollwerte erreicht. Diesen Sprachspielen des Systems folgt die Dramaturgie von Rollenspielen. Gleichzeitig geraten jedoch die Gestehungskosten von Vergesellschaftung aus dem Blickfeld. Parsons betont zwar, daß die Werthierarchie von Individuen und Gesellschaftssystemen nur lose verknüpft sein können und ungelöste, in der Reduktion auf instrumentelle Rollen frustrierte Bedürfnisse ein Leben gegen die Norm fördern. Die Verarbeitung dieser nicht-integrierten Ansprüche folgt aber mit der Strategie der klugen Anpassung dem Grundmuster der

---

Einige Grundzüge der allgemeinen Theorie des Handelns, in: Heinz Hartmann (Hrsg.) Moderne amerikanische Soziologie, Stuttgart 1967.

25 Talcott Parsons, The Structure of Social Action, a.a.O., S. 739.

26 Talcott Parsons, The Structure ... a.a.O., S. 768. Zum Begriff der Macht als Steuerungssprache vgl. Talcott Parsons, Die jüngsten Entwicklungen in der strukturell funktionalen Theorie, in: KZfS 16/1964.

durch das System negativ bestimmten Wünsche. Parsons hält Wandel durch neue Konventionen für möglich, entfaltet ihn jedoch nicht als praktischen Diskurs, der noch die Perpetuierung der Repression reflektiert.[27] Seine Theorie legt einen sich historisch erneuernden normativen Begriff von Systemgleichgewicht oder eine kybernetische Machttheorie nahe.

Die elementaren Entscheidungstheorien und die kybernetisch reduzierten Steuerungstheorien sind gezwungen, die institutionell gesicherte Selbstreflexion, die in Bestandteilen der zweckrational motivierten klugen Anpassung nicht aufgeht, kontingent einzuführen. Denn die theoretische Verknüpfung von Grundreiz und Belohnung zu Verhaltensgeneralisierungen müßte, argumentiert man in diesem Rahmen, auch noch den Konstitutionsprozeß von »contexting symbols« erfassen, die das Handlungspotential eines Systems angeben. Das Konzept der »emergent properties«, wie es Amitai Etzioni ausgeführt hat, scheint dieses Argument weiterzuführen. Etzioni betont nämlich die Diskrepanz »sozialer« und »psychologischer« Tatsachen. Er hebt hervor, daß ein wesentlicher Teil der Änderung sozialen Verhaltens nur durch Makrofaktoren erklärt werden kann, die, mit den zwischen ihnen bestehenden Verbindungen, ein besonderes Gebiet der Handlungstheorie konstituieren.

27 Vgl. dazu Jürgen Ritsert, Handlungstheorie und Freiheitsantinomien, Berlin 1966 und ders., Substratbegriffe in der Theorie des sozialen Handelns, in: Soziale Welt 2, 1968.

5.1 Grundreiz und Verhaltensgeneralisierung

Im Kontext dieser grundlegenden Unterscheidung von sozialen und psychologischen Tatsachen[1] sucht Etzioni eine Sprache zur Beschreibung von »social action«, die von den rationalen Handlungsmöglichkeiten eines Kalküls ausgeht und Irritationen durch Wertorientierungen untersucht. Die »active orientation« des Handelnden kann mit den Kategorien Information, Bewußtsein, Entscheidung, Politik und Strategie erläutert werden. Etzioni wählt damit jedoch nicht die naheliegende Lösungsstrategie eines materialistischen Begriffs gesellschaftlicher Objektivität: sein nicht-reduktionistischer Ansatz geht von Konflikten zwischen Steuerungsmechanismen und passiven Elementen aus, von deren Verarbeitung die Reproduktionsmöglichkeiten von Gesellschaften abhängen. Er faßt Makrosoziologie als eine Sprache auf, in die andere Theorien zwanglos übersetzt werden können. Die Aktivität einer Handlungseinheit mit »Selbststeuerungskapizität« hängt von ihren kybernetischen Fähigkeiten, ihrer relativen Macht und ihrer Konsensusmobilisierung ab. Grundlage sind die Möglichkeiten zur Sammlung, Verarbeitung, Anwendung und planmäßigen Übersetzung in Entscheidungs- und Ausführungsinstanzen. Sozialstruktur erscheint dann als Aggregat von Kollektiven.

»A collectivity is a macroscopic unit that has a potential capacity to act by drawing on a set of macroscopic normative bonds which tie members of a stratification category.«[2]

---

1 Amitai Etzioni, The Active Society, A Theory of Societal and Political Processes, New York 1967. »If this is the case, as I wish to claim, that societal facts are as ultimate as are psychological facts, then those concepts which are used to refer to forms of organization of a society cannot be reduced without remainder to concepts which only refer to the thoughts and actions of specific individuals.« M. Mandelbaum, Societal Facts, in: M. Madden (Hsg.), The Structure of Scientific Thought, S. 168.

2 Amitai Etzioni, The Active Society, a.a.O., S. 98.

Diese Kontrollkapazitäten sind auf das als Symbolsystem aufgefaßte gesellschaftliche Wissen bezogen.

»The Dimension of a Macro-Sociology of Knowledge.« [3]

a) Intra-knowledge relations
b) Knowledge and reality
c) Relations between knowledge producers and other controlling units
d) Knowledge's effect on social action and interaction

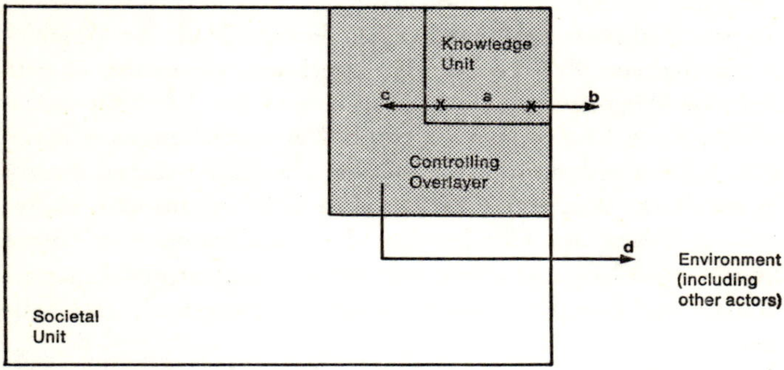

Wissen übernimmt die Funktion einer evaluativen Interpretation, der Realitätsprüfung, die es um so besser erfüllen kann, wenn es empirisch triftig ist und eine Vereinheitlichung von Realitätsdeutungen ermöglicht.

Aber auch die von Normen auf Wissen verschobene Perspektive richtet sich auf Gesellschaftssysteme nur in den Grenzen, in denen sie Interpretiergemeinschaften sind, die einem »fundamental criticism« tolerieren. Eine Änderung des Wissensbestandes faßt Etzioni daher nach dem Muster einer grenznutzentheoretisch übersetzten Dissonanztheorie auf. Zwar macht er institutionalisierte Revisionsmöglichkeiten von mit Macht ausgestatteten Positionen abhängig, klärt jedoch nicht, worauf dieser Einfluß beruht. Während Perroux's Theorie der Domination noch die Ungleichverteilung ökonomischer Macht reflektiert, reduziert Etzioni die Effektivität von »Einheiten« auf die unterschiedliche Akkumulation von Wissen, die asymmetrische Interaktionsverhältnisse hervorruft.

---

3 Nach Amitai Etzioni, The Active Society, a.a.O., S. 105 u. S. 133.

»We suggest therefore that (a) *these assets and techniques for the production, processing, and application of knowledge are unevenly distributed among societies and collectivities;* and that (b) *the inequality in the distribution of knowledge is greater than that of many other assets, especially utilitarian ones.«* [4]

Gleichsam die Äquivalente zu elektronischen Zentren sind Eliten, die zwischen alternativen Möglichkeiten wählen, Signale an die ausführenden Einheiten weitergeben und die Rückkoppelungssignale beantworten, die von den ausführenden Einheiten an die Spitze zurückgehen.[5]

Aktive Einheiten sind durch einen hohen Grad der Übereinstimmung von Präferenzen charakterisiert; sie haben in dem normativ-kognitiven Kontext eine »politische« Identität ausgebildet; sie realisieren ihre Ziele und Wertvorstellungen effektiv. Durch Entscheidungsprozesse werden abstrakte »commitments« in spezifische übersetzt. Die Eingaben bestehen aus dem analytischen Wissen des Handelnden, der Kalkulation von Folgen und Nebenfolgen und einem normativen Kontext, der Entscheidungen zur bewußten Wahl zwischen Alternativen rationalisiert.

Aus dem Interesse an den kybernetischen Faktoren zweckrationaler Kalküle und dem Ausgleich von Machtsektoren resultiert, die bei Etzioni offen ausgesprochene Neutralität gegenüber Reproduktionsmechanismen und damit einer Unterschiedslosigkeit von Zwecksetzungen, die sich auf die Beschreibung der Bestandserhaltung von Systemen beschränkt.

Die beschriebenen Ansätze eröffnen die Perspektive auf eine allgemeine Theorie menschlichen Handelns und die Formulierung generalisierter Interpretationen, in denen deutlich wird, wie neutral gedeutete industrielle Gesellschaften die Ressourcen der menschlichen Gattung mobilisieren. Das Interesse der Systemtheorie richtet sich daher auch auf Systempräferenzen, nach deren Festlegung Strukturen und Prozesse funktional als Selektionsleistungen analysiert werden können. Mit dieser Intention hat Niklas Luhmann die Rationalstruktur des Handelns, den Geldmechanismus und Knappheit uminterpretiert. Er begreift Wirtschaften als Möglichkeit der Vertagung von Bedürfnissen bei gegenwärtiger Befriedigung. Bei *Knappheit* handelt es

4 Amitai Etzioni, The Active Society, a.a.O., S. 204.

5 Vgl. Amitai Etzioni, Elemente einer Makrosoziologie, in: Wolfgang Zapf (Hg.), Theorien des sozialen Wandels, Köln-Berlin 1969, S. 160.

sich um einen abstrakten Vergleichspunkt für die situationsunabhängige Behandlung von Bedürfnissen und deren Übertragung auf den Geldmechanismus. Märkte beruhen nämlich auf ausdifferenzierten Rollen und der Einführung »legaler Negierbarkeit« in das Verhältnis von Person und Sache.
Luhmann konstatiert die Ausdifferenzierung eines Subsystems Wirtschaft und dessen Innendifferenzierung in Märkte, Haushalte und Betriebe und verknüpft die an Gewinn und Verlust orientierte Wirtschaftlichkeit der Handlung mit der gesellschaftlichen Funktion von Wirtschaften als Vertagen von Bedürfnissen. Die durch Geld vermittelten Tauschprozesse werden durch die mit dem Geld verbundenen Abstraktionen reflexiv. Im Gegensatz zu dem Subsystem Politik, das unbestimmte Zielangaben wie humanes Leben oder Gerechtigkeit in Traditionen institutionell eng interpretiert hat, bildet das Subsystem Wirtschaft einen eigenen Begriff von Rationalität aus. Es ist dazu in der Lage aufgrund hoher struktureller Differenzierungsfähigkeit und relativ geringer Entscheidungslasten – seine Komplexität ist, mit den Worten Luhmanns, im Vergleich zur Politik »besser strukturiert«.

»In der Wirtschaft ergab sich, vor allem im Kontext von Arbeitsteilung und Güterverteilung, also außerhalb des Hauses, die Chance, höhere Komplexität besser zu strukturieren und sie damit einem rationaleren Entscheidungsprozeß verfügbar zu machen.« [6]

Luhmann verbindet mit der Diskussion der Kategorien Komplexität, Zweck und Bestand im Rahmen eines funktional-strukturellen Entwurfs sozialer Systeme den Anspruch, die Evolutionsbedingungen von Systemen, ja, die Kategorie der Evolution selbst zu klären. Systeme, Identitäten also, die sich in der Stabilisierung einer Innen/Außen-Differenz erhalten, haben für Luhmann die Funktion, Weltkomplexität sinnvoll so zu reduzieren, daß Erleben und Handeln möglich wird: die Bildung von Systemen, die für die Handelnden wie auch den Wissen-

6 Niklas Luhmann, Wirtschaft als soziales System, in ders., Soziologische Aufklärung, Köln 1970, S. 226.
Luhmann, der die Innendifferenzierung und Interdependenz von Subsystemen im Auge hat, begnügt sich hier freilich mit dem Hinweis, daß »im allgemeinen Kontext gesellschaftlicher Differenzierung die Wirtschaft selbstverständlich immer darauf angewiesen bleibt, daß die Politik funktioniert, daß Frieden gesichert ist, Recht gewahrt wird, bindende Entscheidungen hergestellt werden«. (a.a.O., S. 219.)

schaftler kenntlich sein müssen, ist die Lösung einer als Problem unterstellten Komplexität. Welt als

»Universalhorizont allen menschlichen Erlebens ... ist kein System, weil sie keine Grenzen hat. Sie ist ohne Umwelt, daher nicht bedrohbar. Selbst radikale Umwandlungen in ihrer Energieform sind nur als Geschehen in der Welt vorstellbar. ... Der Begriff der Komplexität definiert sich in Beziehung auf das Aktualisierungspotential von Systemen. Er bezeichnet die Zahl der Möglichkeiten, die durch die Systembildung Wirklichkeit werden können.« [7]

Gesellschaft wird somit als System auf das Problem der komplexen, sozial kontingenten Welt bezogen, und ihre Systemgrenzen gewinnen Bedeutung als Reduktionsmöglichkeiten. Die funktionale Weltdeutung erhält freilich einen selbständigen methodischen Sinn, das sie das Bezugsproblem im Kontext komplexer Systeme ja erst situiert: nicht die Feststellung des Seins in Form von Wesenskonstanten, sondern die Variation von Variablen im Rahmen komplexer Systeme. [8]

Luhmann kritisiert an der strukturell-funktionalen Theorie, sie habe den Strukturbegriff dem Funktionsbegriff vorgeordnet und könne daher den *Sinn* der Strukturbildung nicht begründen; mit der Entwicklung der Handlungswissenschaften sei der Zweckbegriff fragwürdig geworden, da er der Komplexität von Systemproblemen nicht Rechnung trage. Zwecke müßten vielmehr als Formeln zur Gestaltung der Beziehungen mit der Umwelt im Hinblick auf funktionale Äquivalente, Strategien der Reduktion von Komplexität und Verhaltenssteuerung analysiert werden. Strukturbildung wird damit zum Mittel funktionaler Problembewältigung, die Luhmann zufolge alle Vergesellschaftung betrifft: erst im Horizont einer von Systemen entwickelten Autonomie – das sei der entscheidende theoretische Fortschritt –, könnten Kausalfaktoren selektiv und vergleichend behandelt werden.

Damit wendet Luhmann gegen den erkenntnistheoretischen Dezisionismus, der sich auf Konventionen oder die Suggestion erfolgreichen Forschens stützt, eine Neufassung des Kausalprinzips. Sie verzichtet auf eine induktive Begründung und interpretiert Kausalaussagen im Hinblick auf die Bedeutung, die sie

---

7 Niklas Luhmann, Vertrauen. Ein Mechanismus der Reduktion sozialer Komplexität, Stuttgart 1968, S. 3.

8 Vgl. Niklas Luhmann, Funktion und Kausalität, in: KZfSS 14, S. 62 ff.

für uns haben. Die kausale Interpretation der Welt ist mithin eine mit der Vergesellschaftung verbundene erste Rationalisierung der Weltauffassung: die Beziehung mehrerer Ursachen auf eine Wirkung, die Indentifizierung einzelner Ursachen und Wirkungen und die Analyse des funktionalen Sinns dieser Zuordnungen. Damit wird der Zwangscharakter von Kausalzusammenhängen von einer als Sinnzusammenhang gedeuteten Gesellschaft ununterscheidbar.

5.2 Zwecke: die Bestandsformeln von Systemen

Die Systemtheorie kann, wie Parsons zugesteht, kein Gefüge allgemeiner Aussagen formulieren noch in mathematische Formeln übersetzt werden, in denen sich alle Elemente in der reziproken Interdependenz zwischen Variablen des Systems ausdrücken lassen.[1] Da die früheren soziologischen Systementwürfe an thermodynamische Modelle anknüpfen, können sie die Problematik ihrer Begründung mit dem Hinweis auf mechanische und organische Analogien lösen. Der Entwurf von Sinnsystemen muß Weltkomplexität und eine unproblematische Umweltbeziehung unterstellen. Luhmann vernachlässigt das von Parsons hervorgehobene Problem doppelter Kontingenz und hypostasiert das Sinnmoment: die Inhalte der Systembildung selbst, in deren Kontext die aktionsleitenden Interessen und Bedürfnisse erst »sinnvoll« erörtert werden können, werden nicht thematisch. Die Erklärung von Handlungsmustern aus Verhaltenserwartungen blendet technologische Arrangements und Substratvorstellungen menschlichen Handelns aus. Sie beschränkt sie anthropologisch auf die Fähigkeit zu Bewußtseins- und Erlebnisverarbeitung und bringt sie mit der Begrenzung der »Kapazität für aktuelle Aufmerksamkeit und Informationsverarbeitung« in Zusammenhang. Das durch Eigenkomplexität charakterisierte System interpersonaler Aktivität nimmt selektiv auf die Weltkomplexität Bezug; beide sind aufeinander abgestimmt.[2] Pro-

---

1 Vgl. Talcott Parsons, Systematische Theorie in der Soziologie, in: D. Rüschemeyer (Hrsg.), Soziologische Theorie, Neuwied/Berlin 1964. Ich vernachlässige hier die These von Luhmann, die strukturell-funktionale Theorie habe den Struktur- dem Funktionsbegriff vorgeordnet, und versuche zu zeigen, daß auch im kategorialen Bezugsrahmen von Luhmann der Sinn der Strukturbildung nur *konservativ* in einer biologischen Deutung der Bestandserhaltung geklärt werden kann.

2 Auf die damit verbundenen Beschränkungen von Fragestellungen, die Diskrepanz zwischen etablierten Schemata der Weltdeutung und Syste-

zeß und System sind verschiedene Aspekte von Selektivität. Der Prozeßbegriff bezeichnet die Faktizität des selektiven Geschehens, der Systembegriff die notwendige Grenzziehung.
Ausdifferenzierung, die Luhmann ansatzweise an einer Soziologie des politischen Systems entwickelt, kann sich auf Personen, Rollen und Normen beziehen. Ist für das politische System der Aspekt der Rolle relevant, isoliert und objektiviert das ökonomische wenige Aspekte: es ist ein auf die soziale Stereotypisierung von Personen oder das Korrespondenzverhältnis von Rollenpartnern nicht angewiesen, während für das politische System Rollenrationalisierungen beschrieben werden können, denen in Normen oder Werte eingelassene Wirkungen entsprechen; in dem Horizont erreichbarer Ziele werden Rollen und Personen pragmatisch unter Einstellungen zusammengeschlossen, die in Politik und Verwaltung als Objektivität, Gerechtigkeit und Unpersönlichkeit verbindlich werden.
Ausdifferenzierte Rollen bahnen den Weg für eine relative gesellschaftliche Autonomie von Subsystemen, auf die effiziente Entscheidungsprozesse angewiesen sind; sie entwickeln eigene regulative Standards und regeln die Beziehungen mit der Umwelt nach selektiven Kriterien. Autonomiebedingungen unterscheidet Luhmann in drei Dimensionen: das System, das auf zwei verschieden generalisierten Sinnebenen mit der Umwelt verbunden ist, muß auf eigene Prozesse der Informationsverarbeitung zurückgreifen können; es muß Zeit haben, um auf Anstöße von außen reagieren zu können und eigene Prozesse der Selektion von Ursachen und Wirkungen anzuwenden; damit konfligiert es mit der Zeittoleranz, welche die Umwelt festlegt. Diese allgemeinen Aspekte hebt auch Buckley hervor.

»This means that our adaptive system – whether biological, psychological, or sociocultural – must manifest 1) some degree of ‚plasticity', and ‚sensitivity' or *tension* vis-a-vis its environment such that it carries on a constant interchange with environmental events, acting on and reacting to them; 2) some source of mechanism providing for *variety*, to act as a potential pool of adaptive variability to meet the problem of mapping new or more detailed variety and constraints in a changeable environment; 3) a set of *selective* criteria or mechanism against which the ‚variety pool' may be sifted into those variations in the organization or system that more closely map the environment and

---

men selbst hat K. H. Tjaden hingewiesen: Soziales System und sozialer Wandel, Stuttgart 1969.

those that do not; and 4) an arrangement for *preserving and/or propagating* these ‚successful' mappings.«[3]

Während jedoch Buckley noch die Diskontinuität im Übergang von adaptiven zu sozialen Systemen wie menschlichen Gesellschaften als Problem hervorhebt, dem er mit dem Verweis auf Interesse und Bedürfnis Rechnung zu tragen sucht, deutet Luhmann Selbsterhaltung stillschweigend biologisch: als konditionale Programmierung zu der sich Institutionalisierung von Verhaltenserwartungen komplementär verhält. Gesellschaftssysteme erhalten eine formale Identität nur dadurch, daß sie Relationen zwischen innerer und äußerer Komplexität stabilisieren und Verhaltenserwartungen situationsunabhängig definieren.
Bei Parsons bleibt die Beschreibung der Integration doppeldeutig: sie führt zu einem Normatismus der Normen. Luhmann begründet Grenzziehung und Reduktion von Komplexität zirkulär: Sinn steuert die Reduktion von Komplexität und ist ihr Resultat. In einer Explikation der Kategorie Vertrauen hat Luhmann daher auf deren Rationalitätssteigerung aufmerksam gemacht: im Hinblick auf die Funktion, Systempotential für Komplexität zu steigern, ist Vertrauen rational. Ohne Vertrauen sind nur sehr einfache Formen der menschlichen Kooperation möglich. Der »Bedarf für Vertrauen« hängt von der Verfügbarkeit funktionaler Äquivalente ab: Lernen, Symbolisierung, Kontrolle, Sanktion. Vertrauen dehnt die Toleranz für Mehrdeutigkeit, indem es Momente der Unsicherheit überbrückt; als »Systemvertrauen« bedeutet es einen bewußten Verzicht auf weitere Informationen und Erfolgskontrollen: es ist eine riskante Vorleistung. Im kooperativen Handeln erschließt es durch Reduktion von Komplexität neue Handlungsmöglichkeiten, welche die Rationalität organisierter Sozialstrukturen steigern; freilich müssen ihm erfolgskontrollierte Rollen, die Unsicherheit absorbieren, komplementär sein.
Die Systemperspektive klärt in der Beschreibung ausdifferenzierter Systeme nur die funktionalen Spezifizierungen des Zusammenhangs, in dem Interaktionspartner einander Rollen zumuten, sich wechselseitig motivieren und kontrollieren. Das politische System wird durch Ausdifferenzierung und durch die Bedingungen hoher Systemautonomie in die Lage versetzt, ent-

---

3 Walter Buckley, Sociology and Modern Systems Theory, Englewood Cliffs 1967, S. 63.

scheiden zu können; auf der Ebene konkreter Interaktionen kann es diesen Entscheidungen bindende Wirkung verschaffen, Erwartungen effektiv umstrukturieren und Prämissen weiteren Verhaltens festlegen. Diese Beziehungen hat Deutsch als Austausch gedeutet; einem Verantwortlichkeit repräsentierenden Zentrum bringt die Bevölkerung Loyalität entgegen. Wenn sich die moderne nationalökonomische Theorie von der unrealistischen Annahme eines Marktes mit vollständiger Konkurrenz, der rationale Entscheidungsprämissen eng festlegt, löst und differenziertere Bedingungen zur Erhellung der Motive einführt, treten in systemtheoretischen Kategorien an die Stelle umfassender Komplexitätsreduktion durch Marktsysteme interne Entscheidungsprozesse.

Die Fähigkeit eines Systems für die spezifische Funktion bindender Entscheidungen muß nach der von Luhmann definierten Prämisse in dem Maße gesteigert werden, in dem die Komplexität der Gesellschaft wächst; das politische System muß im Interesse »fluktuierender gesellschaftlicher Problemlagen« Entscheidungsthemen variieren können und im Hinblick auf entscheidungsbedürftige Themen offen sein. Da es sich nicht auf individuelle gruppenspezifische oder situationsspezifische Gehorsamsmotive stützen kann, muß es, mit anderen Worten, inkompatible Motive der verschiedensten Art kombinieren und egalisieren, damit Entscheidungen wie selbstverständlich akzeptiert werden. Die Fähigkeit zu bindender Entscheidung charakterisiert das politische System auf der *Ebene der konkreten Interaktion*. Die Erzeugung gesellschaftlicher Macht, für Luhmann ein Medium der Kommunikation, das Entscheidungsleistungen überträgt, charakterisiert es auf der *Ebene der Bestandserhaltung*. Mit dem politischen hat das ökonomische System gemeinsam, daß es als System funktionaler Entscheidung spezialisiert ist. Gleichzeitig muß es in der Lage sein, Konflikte zu absorbieren, einen unvermittelten Gegensatz in einen verbalisierten Kampf um Einfluß in Entscheidungszentren zu transformieren.

Systeme können zur »Bestandserhaltung« funktional gleichwertige Strategien ausbilden: sie können die objektive durch eine subjektive Situation ersetzen und bestimmte Formen der Erlebnisverarbeitung institutionalisieren, die die Vielzahl möglicher Verhaltensweisen reduzieren und intern entsprechende Segmente ausbilden. Zwecke, die abstrahierend ausgewählte Wirkungen repräsentieren, gewinnen daher die Funktionen koordinierender Generalisierungen und sollen das Grundproblem der Systemerhaltung erst verarbeitungsfähig machen.

»Zwecke geben dem Grundproblem der Bestandserhaltung in einer komplexen und veränderlichen Umwelt, das als solches nicht instruktiv, nicht entscheidungsfähig ist, eine systemintern bearbeitbare Fassung. Sie sind gleichsam Ersatzformeln für ein ihnen vorausliegendes Ungewißheitsproblem. Die Zwecksetzung ermöglicht, mit anderen Worten, Detailverlagerungen der Bestandsproblematik von außen nach innen, also in die Sphäre eigener Disposition.«[4]

Systembildung ist die Übersetzung von Funktionen in Strukturen, denn die Grenzziehung transformiert Unendlichkeitsprobleme in Bestandserhaltungsprobleme. Die Reduktion von Komplexität erfolgt nicht allein durch Zwecksetzung oder Planung der Ketten von Ursachen und Wirkungen sondern durch die Bildung von Untersystemen, die intern komplex organisiert sind. Das System behandelt die Untereinheiten als Leistungseinheiten.

»Ein System kann mehr Komplexität aufnehmen und verarbeiten, wenn es intern zwar verbundene, aber gegeneinander verschobene Zweck- und Neutralisierungsperspektiven zuläßt. Systeme reduzieren ... Komplexität dadurch, daß sie die für sie relevante Umweltproblematik subjektiv definieren, als Entscheidungsgrundlage in sich hineinziehen und kleinarbeiten. Bei zweckspezifischer Umweltanpassung ersetzen sie zunächst ihre Bestandsproblematik durch eine Zweckformel.«[5]

Unter dem leitenden Gesichtspunkt von Zwecken setzt sich der Substitutionsprozeß in das Systeminnere hinein fort. *Zweckprogramme* geben Transformationsregeln für diesen Prozeß der Problemlösung, der Zweckmittelvertauschung an. *Entscheidungsprogramme* grenzen Handlungsabläufe ein und formulieren sie im Kontext schon begrenzter Komplexität. Wertbeziehungen können in Zweckformeln eingehen. Programme mit zusätzlichen Selektionsregeln nennt Luhmann mehrstufig. Sie setzen »Stop-Regeln für die Suche nach Alternativen« voraus.[6]

---

4 Vgl. Niklas Luhmann, Zweckbegriff und Systemrationalität, Tübingen 1968, S. 131.

5 Niklas Luhmann, ebda., S. 189.

6 »Zweckprogramme setzen Zwecksysteme fest und regulieren deren Transformation in Unterzwecke. Sie verbinden und integrieren die beteiligten Untersysteme dadurch, daß sie deren jeweilige Outputs in vorgestellter

Mehrgliedrige Zweckprogramme legen Zweck-Mittel-Ketten fest; sie beschleunigen die Anpassung komplexer Systeme an Veränderungen der Umwelt. Unterscheidet man mit Deutsch zwischen einer *Zweckbestimmung ersten Grades,* die ein Rückkoppelungsnetz kennzeichnet, das nach unmittelbarer Befriedigung strebt; einer *Zweckbestimmung zweiten Grades,* die einen Zustand bedeutet, der mit größter Wahrscheinlichkeit das Netz befähigen wird, in seinem Streben nach einer Zweckbestimmung ersten Grades festzuhalten, könnte eine *Zweckbestimmung dritten Grades* ein Zustand sein, der über die Lebenszeit eines einzelnen Systems hinausgehend ganze Netzwerke befähigt, Zwecke des ersten und zweiten Grades zu verfolgen: Erhaltung der Gruppe. *Zweckbestimmung vierten Grades* schließlich wäre ein Zustand, Zweckbestimmung jenseits von bestimmten Gruppen oder Systemen zu erhalten.
Die Aussonderung der Zwecke selbst kann Luhmann freilich nicht begründen. Eine operationale Leerformel, die auf »Wertgesichtspunkte« bezogen ist, ohne sie zu erläutern, begrenzt institutionell den Opportunismus. In generalisierten Medien der Problemlösung, die wie Luhmann es undeutlich nennt, eine Umkehr von Zweck/Mittel-Gesichtspunkten ermöglichen, sucht er dem Gesichtspunkt Rechnung zu tragen, daß Ursachen auf ihre Wirkung hin überprüft und Mittel nach Maßgaben ihrer Folgen ausgesondert werden müssen.

»Nicht nur kann ein System als Mittel benutzen, was Zweck eines anderen ist; sondern dieses andere kann den eigenen Zweck als Mittel der Selbsterhaltung rationalisieren, also anderen Wertgesichtspunkten unterordnen als das System, dem die Zweckleistung zugeführt wird.«[7]

Wenn Luhmann Evolution in die Formel der Selektivitätsverstärkung faßt, die sich durch »Anwendung von Prozessen auf sich selbst (Reflexivität) und durch Sicherung der Übertragbarkeit von Reflexionsleistungen (Medien der Kommunikation)«[8]

Kausalität aufeinander beziehen und die Werturteile, die in den verschiedenen Untersystemen impliziert sind, koordinieren. Dies geschieht nicht durch Aufstellung einer gemeinsamen transitiven Wertordnung, sondern durch überlegte Fixierung bestimmter Entscheidungsprämissen, die teils generell, teils für das Gesamtprogramm, teils nur für einzelne Stationen des Entscheidungsprozesses gelten.« (Niklas Luhmann, a.a.O., S. 208.)

7 Niklas Luhmann, Zweckbegriff und Systemrationalität, a.a.O., S. 140.

8 Niklas Luhmann, Soziologie als Theorie ..., a.a.O., S. 632; ders., Reflexive Mechanismen, in: Soziale Welt 17 (1969).

ergeben, überschreitet er nicht die Tautologie eines zu Ende gesprochenen Sprachspiels.

»Im Laufe des überblickbaren Evolutionsprozesses steigert sich die Komplexität der Gesellschaft und damit auch die Komplexität der für sie möglichen Welt.« [9]

Die Strategien zur Lösung von Systemproblemen sind problemneutral formuliert. Die Medien der Übertragung von Selektionsleistungen – Wahrheit, Macht, Liebe und Geld – sind die bloßen Hülsen gesellschaftlicher Reproduktion: so präzisiert im Verständnis von Luhmann *Wahrheit* die Bedingungen, unter denen der Sinn von Wahrnehmungen anerkannt werden muß; überträgt und potenziert *Macht* die in individuellen Entscheidungen schon enthaltenen Reduktionsleistungen; *Geld* überträgt eine unbestimmt bleibende Komplexität, *Liebe* eine personengebundene Sympathie.

Geld, die unspezifische Freiheit der Bedürfnisbefriedigung und verläßliche Verallgemeinerung der Tauschchancen, bildet eine rationale Grundlage für Entscheidungen. Nach der von Luhmann vorgeschlagenen Definition erlauben diese generalisierten Medien der Problemlösung im Zusammenwirken mit Zwecken eine Rationalisierung unter Knappheitsgesichtspunkten.

Luhmann bezeichnet zwar das Problem, daß sich Rationalität weder aus konditionierenden Normen noch Maximierungsannahmen ergibt, ja, daß wissenschaftliche Methodologien gegenüber einer möglichen Äquivalenz – und das heißt wohl auch: gegenüber einer möglichen Nicht-Äquivalenz – indifferent bleiben müssen. Sein Interpretationsmuster, das Komplexität zum Bezugspunkt aller Wissenschaften erhebt, überläßt die Transformation der von der Systemtheorie festgestellten Probleme in Programme den Entscheidungstheorien, ohne auch nur die Kooperation über das Medium »problembezogener funktionaler Zusammenhänge« hinaus kenntlich zu machen. Zweckformeln, die »sekundäre Entscheidungsspielräume« begrenzen, gewinnen praktischen Charakter, weil sie innerhalb fester Außengrenzen Weltauslegungen garantieren. Auf das Problem der äußersten Komplexität der Welt und die Notwendigkeit der Reduktion

---

9 Niklas Luhmann, Moderne Systemtheorie als Form gesamtgesellschaftlicher Analyse, in: Th. W. Adorno (Hrsg.), Spätkapitalismus oder Industriegesellschaft? Verhandlungen des 16. Deutschen Soziologentages, Stuttgart 1969, S. 253 ff.

sind alle Kategorien bezogen. Da Luhmann eine Problematisierung bestehender Strukturen als Verlust schon geleisteter Reduktion ansieht, gewinnt die faktische Identität von Systemen, wie immer sie qualifiziert sein mag, normative Kraft: die Kategorie der Legimität selbst wird hinfällig.[10]

In diesem Wissenschaftsverständnis, das alle Systembestimmungen funktionalisiert und selbst alle normativen Spuren tilgt, fallen Theorie und Wirklichkeit unmittelbar zusammen, kann Wirklichkeit nur noch als System in diesem Sinn gedacht werden. Die Soziologisierung von Kalkülen führt auf ihrer letzten Stufe zu technischen Regeln für die immanente Überprüfung von Theorien, zu einem neuen sozialwissenschaftlichen Idealismus und der Auflösung der Soziologie als gesellschaftliche Herrschaftsverhältnisse reflektierende und ihre Auflösung betreibende Wissenschaft in die Einheitswissenschaft der Systemsteuerung. Diese von Substraten abgehobene Sozialwissenschaft ignoriert die Momente der Selbstreflexion, in denen sich Theorien des objektiven Zusammenhangs versichern, dem sie selbst angehören, und macht alle nur denkbaren Programmierungen von Systemtätigkeiten eo ipso kompatibel. Das jedoch ist das konsequente Programm einer auch verwaltungswissenschaftlich zu sichernden Herrschaft als Legitimität und Freiheit als Zweckrationalität.

10 Vgl. Niklas Luhmann, Legitimation durch Verfahren, Neuwied / Berlin 1969.

Schlußbemerkung

Die Kritik an entscheidungstheoretischen und marktsoziologischen Ansätzen kann zusammenfassend unter vier Aspekten geführt werden.

1. Die Versuche zur Soziologisierung uninterpretierter Kalküle richten sich gegen die Immunisierungsstrategien von Sprachspielen, die empirisch gewonnene Kritik ausschließen. In die logischen Voraussetzungen der elementaren Entscheidungstheorien geht substantielle Rationalität nicht ein; auch die deskriptiv oder präskriptiv interpretierten Kalküle lösen sich nicht aus dem Kanon formaler Logik. Die Rationaltheorie als Konstruktion des ökonomischen Faktors gibt nur Hinweise zur Klassifikation von Handlungen und zur Bestimmung von Variablen intersektoraler Modelle. Kreislauftheoretische Untersuchungen, die sich auf makroökonomische Größen richten, abstrahieren von Informationsbeziehungen; diese werden erst in einer kybernetischen Perspektive thematisch, die in ihrer politischen Ausformulierung Modelle der Informationsverarbeitung ausbildet. Sie charakterisiert Herrschaft als das Ausmaß, in dem Personen oder Organisationen gemäß ihren Zielsetzungen »erfolgreich« handeln.

2. Die Programmatik einer politischen Ökonomie von Herrschaftssystemen löst die Theorie der Leit- und Folgesektoren ein, indem sie die Logik der Entwicklung von »Antriebseinheiten« mit einer Herrschaftstheorie in Beziehung zu setzen versucht. Die fehlende Vermittlung beider Dimensionen hat eine Konstruktion von Normen als Quasi-Mechanismen des Marktes und die technokratische Illusion einer von restriktiven Bedingungen befreiten Weltgesellschaft zur Folge, die aus einem »sozialen Austausch«, dessen Möglichkeiten Perroux in den ökonomischen Produktionsbedingungen nicht konkretisieren kann, hervorgehen soll.

Der an die empirische Verhaltensforschung anknüpfende Ver-

such greift auf die zentrale Idee des neoklassischen Denkens, die eines *finanziellen Sanktionsmechanismus*, zurück. Er sieht eine zwanglose Verknüpfung von Kalkülmodellen und Sprachspielen kommerzieller Beziehungen, da sich ihre Maximen auf eine gegebene Sozialstruktur beziehen. Albert differenziert daher seine allgemeine Hypothese des Machtstrebens nach unterschiedlichen Sozialmilieus. Obwohl er die Bedeutung von Interessenlagen und Machtbeziehungen sieht, hält er an einem methodologischen Individualismus fest, der sich an dem nomologisch-deduktiven Erklärungsmodell orientiert. Theorien wie die der kognitiven Dissonanz, die dieser axiomatischen Struktur entsprechen, sind jedoch, auch wenn sie tautologisch umformuliert und damit empirisch überprüfbar werden, auf die Psychologie kleiner Gruppen begrenzt: sie können Herrschaft nur als makrosoziologisch projizierte Seelenökonomie auffassen und führen nicht in die Dimension von Norm und Substrat, sondern in die von Motivationsanalysen zurück.
Die handlungs- und systemtheoretischen Ansätze enthalten die instrumentalistischen Annahmen einer Substitution von Praxis durch Technologie, von Herrschaft durch Systemgleichgewicht. Sie setzen Rationalität mit »kluger Anpassung« gleich und bestimmen die Sollwerte von Gesellschaftssystemen in der Sprache der Kybernetik. Die Vertragstheorie der Normen, auf die die Rationalität sozialer Systeme bezogen ist, ist nur zirkulär begründbar; sie setzt die Vernünftigkeit bestehender Systeme voraus. Ihre Konsequenz sind ein normativer Begriff von Systemgleichgewicht oder eine kybernetisch reduzierte Machttheorie, die gegenüber den Reproduktionsmechanismen von Gesellschaftssystemen gleichermaßen neutral sind; sie konstatieren eine Unterschiedslosigkeit von Zwecksetzungen. Die Muster kybernetischer Regelung und die Steuerungssprachen von Systemen nehmen eigentümlicherweise ein Motiv auf, das Marx schon an der bürgerlichen Ökonomie kritisierte: die Darstellung der Produktionsweise in überhistorischen Naturgesetzen, die den Sinn und die Wirksamkeit menschlichen Handelns auf die Elendsgeschichte von Entwürfen begrenzt, die im Sinn von Popper falsifiziert wurden. Dem Paradigma rationalen Handelns, das sich nicht mehr auf den arbeitenden Menschen als das real sich erzeugende Subjekt der Geschichte bezieht, ist die Hypostasierung kapitalistischer Rationalität und Herrschaft zum unentrinnbaren Schicksal komplementär.

3. In diesen Ansätzen erscheinen die Momente gesellschaftlichen Verkehrs nur in der verkürzten Perspektive des Handelns in Regelsystemen und Herrschaft als deren strategische Gestaltung. Wenn die planvolle Naturbeherrschung in einem zweckrationalen Funktionskreis gleichsam zum generalisierten Reproduktionsmechanismus wird, der auch historisch in der Selbstkonstituierung der Gattung unüberholbar sein soll, verändert sich die Identität der Subjekte nur noch mit der Reichweite einer eindeutig interpretierten technischen Verfügungsgewalt, die nie entfremdet, sondern immer schon human war. Die diskutierten Ansätze reflektieren damit den Prozeß, in dem die gesellschaftlichen Beziehungen der Individuen noch Produkt einer unbegriffenen Natur und nicht ihrer eigenen praktischen Tätigkeit sind, die in der Reproduktion nicht nur die objektiven Bedingungen ändert, sondern auch neue Verkehrsweisen, Bedürfnisse und Sprache hervorbringen kann.
4. Da sich die instrumentalistischen Modelle der nationalökonomischen Theorie nicht mehr auf die Totalität gesellschaftlicher Produktion und Reproduktion beziehen, bilden sie keine triftigen Bezugspunkte mehr, an die man im Sinn bloß immanenter Kritik anknüpfen könnte; als solche ist sie obsolet. Die zentralen Kategorien der Kritik der politischen Ökonomie bedürfen vielmehr der Reflexion auf der neuen Stufe kapitalistischer Entwicklung. Im Wiederaufnehmen verschütteter Diskussionen und in Reflexionen der in den Randzonen von Soziologien und Nationalökonomie ausgebildeten Theorien muß jener Zusammenhang und die Perspektive einer materialistischen Begründung der Welt als Krisenzusammenhang wieder gewonnen werden. Um die Erneuerung der Kritik der politischen Ökonomie als revolutionärer Theorie praktisch zu begreifen, muß diese Diskussion klären, wie sich das Verhältnis von ökonomischen Kategorien und Existenzbestimmungen der bürgerlichen Gesellschaft und damit die kategoriale Verfassung gesellschaftlicher Realität, die Totalität abstrakter Arbeit verändert hat und wie sich das materialistische Prinzip der Geschichte, die Produktion, zu den gewaltsamen Erscheinungsformen verhält.
Ich habe an jene Systembeschreibungen angeknüpft, die das Thema Wirtschaft und Gesellschaft und damit das Programm einer Kritik der politischen Ökonomie erneut aufgenommen haben. Sie diskutieren jedoch im verschwiegenen Kontext einer gleichsam neutralen Industrialisierung Systemprobleme im Be-

reich der Statuszumessung und der adäquaten Bewertung von Leistungen, jedenfalls nicht mehr im antagonistischen Zusammenhang der privaten Kapitalverwertung oder analysieren auf der Ebene von Verteilungstheorien die disproportionale Aneignung des Mehrprodukts. Wenn die Soll-Zustände von Gesellschaftssystemen nicht in gleicher Weise ermittelt werden können wie die Gleichgewichtszustände von Organismen und Soziologie eine wie immer utopische Rationalisierung von Herrschaft betreibt, muß sie die Tendenz einer Zurückführung von Soziologie und Ökonomie in die Einheitswissenschaft der Systemsteuerung reflektieren, die sich gattungsgeschichtlich und welthistorisch zu legitimieren sucht und dennoch Strategeme kluger Anpassung, von Praxis als Bestandssicherung gegebener Gesellschaftssysteme reproduziert. Auch die Sprachspiele eines rehistorisierten Funktionalismus unterdrücken das Potential von Veränderung, indem sie es nicht einmal beschreiben. Sie kodifizieren damit ein ahistorisches Bewußtsein, das die statische Realität einer Menschheit ohne Erinnerung und ohne Zukunft kennzeichnet, einer sich durch pragmatische Einzelinterventionen am Leben erhaltenden »offenen« Gesellschaft, die eines historischen Subjekts der Veränderung scheinbar nicht mehr bedarf. Die sozialistische Verwirklichung des sich real erzeugenden Subjekts der Geschichte kann freilich theoretisch nicht antizipiert werden – sie ist eine praktische Frage.

Literaturverzeichnis

Adorno, Th. W.: Aufsätze zur Gesellschaftstheorie und Methodologie, Frankfurt/Main 1970

ders.: Stichworte. Kritische Modelle 2, Frankfurt/Main 1969

ders. (Hrsg.): Spätkapitalismus oder Industriegesellschaft? Verhandlungen des 16. Deutschen Soziologentages vom 8. 4.–10. 4. 1968 in Frankfurt/Main, Stuttgart 1969

ders. (Hrsg.): Der Positivismusstreit in der deutschen Soziologie, Neuwied/Berlin 1969

Albert, Hans: Erwerbsprinzip und Sozialstruktur, in: Jahrbuch für Sozialwissenschaft 19, 1968

ders.: Marktsoziologie und Entscheidungslogik, Neuwied/Berlin 1967

ders.: Der neoklassische Stil des ökonomischen Denkens, in: Ernst Topitsch (Hrsg.), Logik der Sozialwissenschaften, Köln/Berlin 1965

ders.: Theorie und Prognose in den Sozialwissenschaften, in: Schweizerische Zeitschrift für Volkswirtschaft und Statistik, 1957

ders.: Theorie, Verstehen und Geschichte, in: Zeitschrift für allgemeine Wisenschaftstheorie, I/1, 1970

ders. (Hrsg.): Theorie und Realität. Ausgewählte Aufsätze zur Wissenschaftslehre der Sozialwissenschaften, Tübingen 1964

Altvater, Elmar: Gesellschaftliche Produktion und ökonomische Rationalität, Frankfurt/Main 1969

American Journal of Economics and Sociology (AJS), Vol. 15, (1955 bis 56), New York

Apel, Karl-Otto: Wissenschaft als Emanzipation, in: Zeitschrift für allgemeine Wissenschaftstheorie, I, 1970

Das Argument, Kritik der bürgerlichen Sozialwissenschaften. Sonderband zum 10. Jahrgang, Berlin 1969

Ashby, W. Ross: An Introduction to Cybernetics, London 1961

Bahr, Hans-Dieter: Kritik der ›Politischen Technokratie‹, Frankfurt/Main 1970

Bergmann, Joachim: Die Theorie des sozialen Systems von Talcott Parsons. Eine kritische Analyse, Frankfurt/Main 1967

Bichtler, Karl (Hrsg.): Wirkungsmechanismen des ökonomischen Wachstums im Sozialismus und Kapitalismus, Bd. II, Berlin 1968
Bongard, Willi: Nationalökonomie wohin? – Realtypen des wirtschaftlichen Verhaltens, Köln/Opladen 1965
Brehm, Jack W.-Cohen, Arthur R.: Explorations in Cognitive Dissonance, New York/London/Sydney 1962
Bruner, J. S. – Postman, L.: Perception, Cognition and Behavior, in: J. S. Bruner – D. Krech (Hrsg.), Perception and Personality, Durham 1950
Buckley, Walter: Sociology and Modern Systems Theory, Englewood Cliffs/N. Y. 1967
ders. (Hrsg.): Modern Systems Research for the Behavioral Scientist, Chicago 1968
Cicourel, Aaron V.: Methode und Messung in der Soziologie, Frankfurt/Main 1970
Claessens, Dieter: Instinkt, Psyche, Geltung – Bestimmungsfaktoren menschlichen Verhaltens. Eine soziologische Anthropologie, Köln/Opladen 1968
Cohen, John: Behavior in Uncertainty and its Social Implications, New York 1964
Dahrendorf, Ralf: Gesellschaft und Freiheit. Zur soziologischen Analyse der Gegenwart, München 1965
ders.: Homo Sociologicus, Köln/Opladen 1965
ders.: Soziale Klassen und Klassenkonflikt, Stuttgart 1957
Deutsch, Karl W.: Politische Kybernetik. Modelle und Perspektiven, Freiburg 1969
Dobb, Maurice: Ökonomisches Wachstum und Planung, Frankfurt/Main 1968
ders. Political Economy and Capitalism, London 1960
Downs, Anthony: Ökonomische Theorie der Demokratie, Tübingen 1968
Dreitzel, Hans-Peter: Das gesellschaftliche Leiden und das Leiden an der Gesellschaft, Stuttgart 1968
Etzioni, Amitai: The Active Society. A Theory of Societal and Political Processes, New York 1968
ders.: Complex Organizations, New York 1964
Festinger, Leon: A Theory of Cognitive Dissonance, Stanford 1957
ders. und K. B. Back: Social Pressures in Informal Groups, New York 1950
Fleischmann, Gerd: Nationalökonomie und sozialwissenschaftliche Interpretation, Tübingen 1966
Gäfgen, Gérard: Theorie der wirtschaftlichen Entscheidung. Untersuchungen zur Logik und ökonomischen Bedeutung des rationalen Handelns, Tübingen 1968

Galbraith, John K.: Der amerikanische Kapitalismus im Gleichgewicht der Wirtschaftskräfte, Stuttgart 1956
ders.: Die moderne Industriegesellschaft, München 1969
Godelier, Maurice: Rationalité et irrationalité en économie, Paris 1966
Günther, Gotthard: Das Bewußtsein der Maschinen. Eine Metaphysik der Kybernetik, Krefeld/Baden-Baden 1957
ders.: Kritische Bemerkungen zur Wissenschaftstheorie der Gegenwart, in: Soziale Welt, 3/4, 1968
Habermas, Jürgen: Arbeit – Erkenntnis – Fortschritt. Aufsätze 1954 bis 1970, Amsterdam 1970
ders. (Hrsg.): Antworten auf Herbert Marcuse, Frankfurt/Main 1968
ders.: Erkenntnis und Interesse, Frankfurt/Main 1968
ders.: Technik und Wissenschaft als »Ideologie«, Frankfurt/Main 1969[2]
ders.: Theorie und Praxis. Sozialphilosophische Studien, Neuwied/Berlin 1963
ders.: Zur Logik der Sozialwissenschaften, in: Philosophische Rundschau, Sonderheft 5, Februar 1967, Tübingen 1967
Hartfiel, Günter: Wirtschaftliche und soziale Rationalität, Stuttgart 1968
Hartmann, Heinz (Hrsg.): Moderne amerikanische Soziologie, Stuttgart 1967
Haselberg, Peter von: Funktionalismus und Irrationalität. Frankfurter Beiträge zur Soziologie, Bd. 12, Frankfurt/Main 1962
Heider, F.: The Psychology of Interpersonal Relations, New York 1958
Heidtkamp, Günther: Planification in Frankreich, Köln 1966
Heilbroner, Robert L. (Hrsg.): Economic Means and Social Ends. Essay in Political Economics, Englewood Cliffs 1969
Hickmann, C. Addison – Kuhn, Manford H.: Individuals, Groups, and Economic Behavior, New York 1958
ders.: The Human Group, New York 1950
Homans, George C.: Social Behavior. Its Elementary Forms, London 1961
Hondrich, K. O.: Wirtschaftliche Entwicklung, soziale Konflikte und politische Freiheiten, Frankfurt/Main 1970
Horkheimer, Max: Zur Kritik der instrumentellen Vernunft. Aus den Vorträgen und Aufzeichnungen seit Kriegsende, Frankfurt/Main 1967
ders.: Kritische Theorie. Eine Dokumentation, Frankfurt/Main 1968
ders. und Th. W. Adorno: Sociologica II. Reden und Vorträge. Frankfurter Beiträge zur Soziologie, Bd. 10, Frankfurt/Main 1962
dies.: Dialektik der Aufklärung, Amsterdam 1947
Jensen, Stefan: Bildungsplanung als Systemtheorie, Bielefeld 1970

Jonas, Friedrich: Das Selbstverständnis der ökonomischen Theorie, Berlin 1964

Kade, Gerhard: Die logischen Grundlagen der mathematischen Wirtschaftstheorie als Methodenproblem der theoretischen Ökonomik, Berlin 1958

ders. – Ibsen, Dirk-Huijer, Reinhard: Modellanalyse ökonomischer Systeme, in: Jahrbücher für Nationalökonomie und Statistik 1, 1968

Kellermann, Paul: Kritik einer Soziologie der Ordnung. Organismus und System bei Comte, Spencer und Parsons, Freiburg 1967

Kempski, Jürgen von: Brechungen, Hamburg 1964

ders.: Über die Einheit der Sozialwissenschaft, in: Zeitschrift für die gesamte Staatswissenschaft, 112, 1956

ders.: Handlung, Maxime, Situation, in: Studium Generale, Berlin 1954

Klatt, Sigurd: Zur Theorie der Industrialisierung, Köln/Opladen 1959

Klaus, Georg: Kybernetik und Erkenntnistheorie, Berlin 1969

ders.: Kybernetik in philosophischer Sicht, Berlin 1961

ders.: Spieltheorien in philosophischer Sicht, Berlin 1968

Kon, I. S.: Der Positivismus in der Soziologie. Geschichtlicher Abriß, Berlin 1968

Krahl, Hans-Jürgen: Zur Wesenslogik der Marxschen Warenanalyse, in: Konstitution und Klassenkampf, Frankfurt 1971

Krelle, Wilhelm: Präferenz- und Entscheidungstheorie, Tübingen 1968

Krysmanski, H. J.: Soziales System und Wissenschaft, Gütersloh 1967

Kuhn, Thomas S.: Die Struktur wissenschaftlicher Revolutionen, Frankfurt/Main 1967

Lange, Oskar: Politische Ökonomie, Bd. I: Allgemeine Probleme, Frankfurt/Main – Wien 1963

ders.: Politische Ökonomie, Bd. II, Frankfurt/Main – Wien 1968

ders.: Einführung in die ökonomische Kybernetik, Tübingen 1970

Lasker, Emanuel: Die Philosophie des Unvollendbaren, Leipzig 1919

Lenski, Gerhard: Power and Privilege. A Theory of Social Stratification, New York 1966

Leontief, Wassilij: Input-Output Economics, New York 1966

Lowe, Adolph: Politische Ökonomik, Frankfurt/Main 1968

Luce, Duncan R. – Raiffa, Howard: Games and Decisions. Introduction and Critical Survey, New York 1966

Luhmann, Niklas: Legitimation durch Verfahren, Neuwied/Berlin 1969

ders.: Soziologische Aufklärung. Aufsätze zur Theorie sozialer Systeme, Köln/Opladen 1970

ders.: Vertrauen. Ein Mechanismus der Reduktion sozialer Komplexität, Stuttgart 1968

ders.: Zweckbegriff und Systemrationalität. Über die Funktion von Zwecken in sozialen Systemen, Tübingen 1968
Mackenzie, J.: Fact and Value, in: Mind, April 1967
Macpherson, C. B.: Die politische Theorie des Besitzindividualismus. Von Hobbes bis Locke, Frankfurt/Main 1967
Malewski, A.: Verhalten und Interaktion. Die Theorie des Verhaltens und das Problem der sozialwissenschaftlichen Integration, Tübingen 1967
Mandelbaum M.: Social Facts, in: Madden (Hrsg.), The Structure of Scientific Thought,
March, J. G. – Simon, H. A.: Organizations, New York 1968
Marcuse, Herbert: Der eindimensionale Mensch. Studien zur Ideologie der fortgeschrittenen Industriegesellschaft, Neuwied/Berlin 1967
ders.: Die Gesellschaftslehre des sowjetischen Marxismus, Neuwied/ Berlin 1967
ders.: Kultur und Gesellschaft, 2 Bde., Frankfurt/Main 1965
ders.: Perspektiven des Sozialismus in der industriell entwickelten Gesellschaft, in: neue kritik, 31, 1965
Marx, Karl: Grundrisse der Kritik der Politischen Ökonomie (Rohentwurf) 1857–1858, Berlin 1953
ders.: Der 18. Brumaire des Louis Bonaparte, Marx-Engels-Werke, Bd. 18, Berlin 1964
ders.: Das Kapital, Bd. 1–3, Marx-Engels-Werke, Bd. 23–25, Berlin 1962–1964
ders.: Zur Kritik der Politischen Ökonomie, Marx-Engels-Werke, Bd. 13, Berlin 1964
ders.: Resultate des unmittelbaren Produktionsprozesses, Frankfurt/ Main 1969
Meek, Ronald L.: Economics and Ideology and other Essays. Studies in the Development of Economic Thought, London 1967
Menges, Günter: Grundmodelle wirtschaftlicher Entscheidungen. Einführung in moderne Entscheidungstheorien, Köln/Opladen 1969
Messelken, Karlheinz: Politikbegriffe der modernen Soziologie. Eine Kritik der Systemtheorie und Konflikttheorie, begründet aus ihren Implikationen für die gesellschaftliche Praxis, Köln/Opladen 1968
Mises, Ludwig von: Human Action, London/Edinburgh/Glasgow 1949
Mitchel, D.: Must We Talk about Is and Ought, in: Mind, October 1968
Morgenstern , Oskar: Spieltheorie und Wirtschaftswissenschaft, Wien/ München 1966[2]
Myrdal, Gunnar: Das politische Element in der national-ökonomischen Doktrinbildung, Hannover 1963
Narr, Wolf-Dieter: Theoriebegriffe und Systemtheorie, Stuttgart 1969
Naschold, Frieder: Systemsteuerung, Stuttgart 1969

Neumann, John von – Morgenstern, Oskar: Spieltheorie und wirtschaftliches Verhalten, Würzburg 1967[2]

Neumark, Fritz: Gedanken zur Allgemeinheit der Wirtschaftstheorie, in: ders., Wirtschafts- und Finanzprobleme des Interventionsstaates, Tübingen 1961

Opp, Karl-Dieter: Kybernetik und Soziologie. Zur Anwendbarkeit und bisherigen Anwendung der Kybernetik in der Soziologie, Neuwied/Berlin 1970

ders.: Die Methodologie der Sozialwissenschaften, Hamburg 1970

Osgood, C. E.: Cognitive Dynamics in Conduct of Human Affairs, in: Public Opinion Quarterly, 24, 1960

Pareto, Vilfredo: A Treatise on General Sociology, Vol. III: Theory of Derivations, Vol. IV: The General Form of Society, New York 1935

Parsons, Talcott: Die Motivierung des wirtschaftlichen Handelns, in: ders., Beiträge zur soziologischen Theorie, Neuwied/Berlin 1964

ders.: Structure and Process in odern Societies, Glencoe 1960

ders.: The Structure of Social Action, New York 1949

ders.: The Social System, New York 1951

ders.: Sozialstruktur und Persönlichkeit, Frankfurt/Main 1968

Parsons, Talcott – Bales, Robert F. – Shils, Edward A.: Working Papers in the Theory of Action, New York 1953

ders. – Shils, Edward A.: Toward a General Theory of Action, Cambridge/Mass. 1951

ders. – Smelser, Neil J.: Economy and Society. A Study in the Integration of Economic and Social Theory, London 1956

Perroux, François: Les comptes de la nation, Presses Universitaires de France, Collection Pragma, Paris 1949

ders.: Economic Spaces: Theory and Applications, in: Quarterly Journal of Economics, Vol. LXIV, 1 (Februar), 1950

ders.: Economie et Societé, Paris 1963

ders.: L'économie du XXème siècle, Paris 1964

ders.: Feindliche Koexistenz? Stuttgart 1961

ders.: Industrie et création collective, Bd. 1, Paris 1964, Bd. 2, Paris 1970

ders.: Materiaux pour une analyse de la croissance économique, Série D, n. 8, Cahiers de l'Institut de Science Economique Appliquée (I.S.E.A.), Paris 1955

ders.: Trois outils d'analyse pour l'étude du sous-développement, Contribution au Cahier de l'I.S.E.A. (Série F, n. 1) sur Niveaux de Développement et Politiques de Croissance, Paris 195[illegible]

ders.: Les poles de développement et l'économie internationale – The Challenge of Development. A Symposium, Jerusalem, 1957 bis 1958

ders.: Les problèmes économiques de la »coexistence« et la croissance de l'Economie Mondiale. I: La lutte au delà des systèmes. (Cahiers de l'I.S.E.A., Série G, n. 4, 1957)
ders.: Les problèmes économiques de la »coexistence« et la croissance de l'Economie Mondiale. II: Les poles de développement
ders.: Frankreichs Wirtschaftsprojektion, Berlin 1964
ders.: La pensée économique de Joseph Schumpeter, Genf 1965
ders.: Zwang, Tausch, Geschenk, Stuttgart 1961
ders.: L'économie des jeunes nations, Paris 1962
Popper, Karl R.: Das Elend des Historizismus, Tübingen 1965
ders.: Logik der Forschung, Tübingen 1966
ders.: Die offene Gesellschaft und ihre Feinde, 2 Bde., Bern 1957 bis 1958
Popper, Karl R. – Adorno, Th. W.: Die Logik der Sozialwissenschaften. (Deutsche Gesellschaft für Soziologie, Interne Arbeitstagung, Tübingen 19.–21. 10. 1961), Sonderdruck aus: Kölner Zeitschrift für Soziologie und Sozialpsychologie, 14. Jg., H. 2, 1962
Reichelt, Helmut: Die logische Struktur des Kapitalbegriffs bei Karl Marx, Frankfurt/Main/Wien 1970
Rex, John: Key Problems of Sociological Theory, London 1961
Ritsert, Jürgen: Bemerkungen zum Verhältnis von kritischer Theorie und empirischer Sozialforschung (Manuskript, 1970)
ders.: Handlungstheorie und Freiheitsantinomie (Soziologische Abhandlungen, H. 6), Berlin 1966
ders.: Substratbegriffe in der Theorie des sozialen Handelns, in: Soziale Welt, 2, 1968
Robinson, Joan: Die Akkumulation des Kapitals, Wien 1964
dies.: Doktrinen der Wirtschaftswissenschaft. Eine Auseinandersetzung mit ihren Grundgedanken und Ideologien, München 1968[2]
dies.: Exercises in Economic Analysis, London 1965
dies.: Über Keynes hinaus, Wien 1962
Runciman, W. G.: Sozialwissenschaft und politische Theorie, Frankfurt/Main 1967
Scheffler, Israel: The Anatomy of Inquiry, New York 1963
Schoeffler, Sidney: The Failure of Economics, Cambridge 1955
Schumpeter, Joseph: Theorie der wirtschaftlichen Entwicklung. Eine Untersuchung über Unternehmergewinn, Kapital, Kredit, Zins und den Konjunkturzyklus, Berlin 1964
Schwanenberg, Enno: Soziales Handeln. Die Theorie und ihr Problem, Bern 1970
Science and Society, A Marxian Quarterly, New York (seit 1936)
Secord, Paul F. – Backman, Carl F.: Social Psychology, New York 1964
Senghaas, Dieter: Sozialkybernetik und Herrschaft, in: Atomzeitalter, 7/8, 1967

Shubik, Martin (Hrsg.): Spieltheorie und Sozialwissenschaft, Frankfurt/Main 1965

Simon, Herbert A.: Models of Man. Social and Rational, New York 1957

Smelser, Neil J.: Soziologie der Wirtschaft, München 1968

ders.: Readings in Economic Sociology, Englewood Cliffs, N. J. 1965

Steindl, J.: Maturity and Stagnation in American Economy, Oxford 1952

Stegmüller, Wolfgang S.: Probleme und Resultate der Wissenschaftstheorie und analytischen Philosophie, Berlin/New York 1969

Sweezy, Paul M.: The Present as History, New York 1962

Thyssen, Stefanie: Entscheidungsstrategien in Großunternehmen. Der arbeitsteilig organisierte Entscheidungsprozeß als strategischer Zusammenhang, (Diplomarbeit), Frankfurt/Main 1968

Tinbergen, Jan: Wirtschaftspolitik, Freiburg 1968

Tjaden, K. H.: Soziales System und sozialer Wandel. Untersuchungen zur Geschichte und Bedeutung zweier Begriffe, Stuttgart 1969

Topitsch, Ernst (Hrsg.): Logik der Sozialwissenschaften, Köln/Berlin 1965²

Toulmin, Stephan: Voraussicht und Verstehen. Ein Versuch über die Ziele der Wissenschaft, Frankfurt/Main 1968

Weber, Max: Gesammelte Aufsätze zur Wissenschaftslehre, Tübingen 1968

ders.: Wirtschaft und Gesellschaft. Grundriß der verstehenden Soziologie, 2 Bde., Berlin/Köln 1964

Wellmer, Albrecht: Methodologie als Erkenntnistheorie. Zur Wissenschaftslehre Karl R. Poppers, Frankfurt/Main 1967

Willer, David: Scientific Sociology, Englewood Cliffs, 1967

Winch, Peter: Die Idee der Sozialwissenschaft und ihr Verhältnis zur Philosophie, Frankfurt/Main 1966

Wölker, Herbert: Die Bedeutung der empirischen Verhaltensforschung für die ökonomische Theorie, Meisenheim/Glan 1961

Zapf, Wolfgang (Hrsg.): Theorien des sozialen Wandels, Köln-Berlin 1969

